도형 학습의 기준

플라토
PLATO

D1

평면규칙 | 초4

사고가 자라는 수학

씨투엠

플라토가 제안하는 도형 학습법

도형 학습지 플라토를 처음 기획하던 때의 기억이 선명하네요. 처음에는 아이들에게 그다지 필요하지 않을 거라 생각해서 소수의 학원에서만 풀리는 교재로 생각했는데 교재가 모양을 갖추어가자 점점 모든 아이들이 즐겁게 도형을 풀 수 있는 책이 만들어질 거라는 확신이 들었지요.

처음 교재를 쓰면서 놓치지 않고 싶었던 콘셉트는 딱 이거였어요.
"쉽고! 가볍게!"
쉬운 교재를 쓴다는 것이 결코 쉽지 않았답니다. 쓰다 보면 어느새 높은 수준의 공간 감각을 요구하는 어려운 문제가 막 튀어나오고 난리도 아니었지요. 그럴 때마다 '아니야, 이 책은 정말 쉽고 가벼워야 해. 아이들이 술술 풀 수 있는 학습지여야 한다고!' 하며 다시 마음을 다잡고 어려운 문제를 빼고 다시 쓰기를 반복했답니다.

우여곡절 끝에 나온 '플라토'를 지난 6년 정도의 시간 동안 정말 깜짝 놀랄 만큼 많은 아이들이 선택하여 풀게 되었지요. 처음 생각했던 가볍고 쉬운 도형 학습지라는 콘셉트가 많은 부모와 아이들에게 받아들여졌다는 사실이 저자로서 무척이나 기쁘고 정말 뿌듯하답니다. 플라토가 단순히 도형을 체계적으로 학습하기 위한 학습지라는 개념을 넘어, 아이들이 도형, 더 나아가 수학에 대한 자신감을 가질 수 있게 하는 수학 학습의 시작점이 되었다는 사실이 무엇보다 자랑스럽습니다.

아이들을 위한 수학책을 집필하면서 수학 때문에 힘들어하는 아이들에게 또 하나의 짐을 더 지워주는 것이 아닌가 하는 걱정이 있었어요. 도형 학습지 플라토가 초등 도형 학습이라는 새로운 영역을 개척하며 점점 성장하는 것과 함께 어쩌면 도형도 따로 공부해야 한다는 또 다른 짐이 되어버린 것 같아 아쉽기도 했지요. 하지만 지난 몇 년간 플라토를 푼 많은 아이들이 올려준 후기를 보면서 저희의 걱정이 지나쳤다는 확신이 생겼답니다. 플라토를 푼 아이들, 플라토로 수학을 시작한 아이들은 수학이 괴롭고 힘들다는 인식 대신, 수학을 가볍고 부담 없고 만만한 것으로 받아들이게 되는 과정을 몸소 보여주었어요. 이것은 저희가 처음에 플라토를 기획했던 때에 기대했던 반응과 효과를 넘어선 정말 커다란 수학 학습의 변화라고 자평한답니다.

많은 사랑을 받았던 플라토가 이제, 플라토를 접한 이들의 소중한 피드백과 함께 새로운 개정판으로 다시 태어났어요. 원래 플라토가 가지고 있던 장점은 그대로 가진 채, 좀 더 예뻐지고, 좀 더 친절해지고, 좀 더 풍성해진 모습으로 다시 한번 아이들에게 다가가려 합니다. 이러한 작은 변화가 아무쪼록 여전히 수학, 그리고 도형으로 고민하는 많은 부모와 아이들에게 기쁜 소식이 되었으면 해요.

새로운 플라토, 잘 부탁드리고, 또 많은 관심과 의견 보내주시면 정말 고마울 거예요.

2022년 지식과상상연구소 드림

도형학습, 자주 묻는 질문과 답변

질문 1 도형 학습 반드시 필요할까요? 또는 어떤 아이들에게 필요할까요?

도형 영역의 성취도가 다른 영역에 비해 확연하게 높은 아이들과 선천적으로 공감 감각이 뛰어난 친구에게는 필요하지 않겠지요. 그러나 초등학교의 도형 학습은 단원 간 시간 간격이 상당히 크기 때문에 아이들이 도형의 기본 개념을 연계하여 학습하지 못하는 어려움이 있고, 이러한 어려움이 누적되면 훨씬 어려운 중학교 도형 영역에서 힘들어하는 경우가 많답니다. 이 때문에 좀 더 도형을 체계적으로 꾸준하게 하고 싶다는 아이들에게는 반드시 추천합니다.

특히 도형을 어려워하거나 싫어하는 친구들에게 플라토는 특효약이 될 수도 있다는 점 잊지 마세요.

질문 2 도형 학습은 교구가 반드시 필요한가요?

영유아기에 도형 교구를 다루어 본 아이들과 그렇지 않은 아이들은 초등 단계에서 유의미한 도형 학습의 성취도 차이를 보이기는 합니다. 그러므로 3세~7세의 아이들에게 도형 교구를 노출시켜주어야 한다고 생각해요. 유아 단계에서는 놀이를 중심으로 한 교구 학습을 추천하고, 플라토를 시작하고 진행하는 단계에서는 교구를 도형 학습의 보조 도구로 활용하는 것이 좋을 것 같습니다. 예를 들어 플라토를 풀다가 거울에 비친 모양을 어려워한다면 거울 교구를, 칠교를 어려워한다면 칠교 교구를 직접 만지면서 문제를 푸는 것이 학습 효과를 높일 수 있지요. 플라토 개정판에서는 연관 교구를 표시해 두었고, 일부 교구재를 교재와 함께 제공하고 있습니다.

질문 3 반드시 추천하는 도형 교구가 있나요?

반드시 필요한 도형 교구라면 교과서에 등장하는 도형 교구라고 생각해요. 패턴블록, 거울(리플렉터), 칠교, 펜토미노, 쌓기나무, 입체 모형, 지오보드 등이 교과서에 빠지지 않고 등장하는 교구이지요. 이러한 교구를 한 번에 묶어서 구성해 놓은 것이 플라토 주머니랍니다. 필요하신 분은 검색해 보세요!

질문 4 아이가 플라토를 너무 빨리 풀어요. 어떻게 해야 할까요?

입문 단계의 플라토는 정말 쉽게 만들었기 때문에 어떤 아이들은 한 달 분량의 교재를 1주일이나 빠르게는 2~3일 만에 풀곤 한답니다. 아이가 학습지를 스스로의 의지로 빨리 풀어낸다는 것은 좋은 일이지요. 칭찬해 주어야 마땅합니다. 6세~2학년 정도까지는 도형 학습에 있어 좀 더 윗 단계를 푸는 것도 크게 어렵지 않습니다. 그래서 아이 연령에서 2단계~3단계 위까지는 아이가 속도감 있게 풀면서 쭉 나가주어도 괜찮아요. 그러다가 아이들이 학교에서 배워야만 풀 수 있는 주제가 나올 때 잠시 멈추고 연산/사고력 문제집을 풀게 하는 것이 좋습니다. 윗 단계의 도형 학습을 수월하게 진행하려면 연산 학습과 사고력 학습도 같이 진행하는 것이 좋기 때문입니다.

질문 5 플라토만으로 도형 학습을 다 했다고 할 수 있을까요? 너무 쉬운 문제만 푸는 게 아닐까 불안해요.

플라토는 분명 쉬운 교재이지만 초등 수학 수준에 필요한 난이도의 도형 문항은 모두 수록되어 있답니다. 하지만 아이들에 따라 도형 학습에 재미를 붙이는 단계에서 좀 더 수준 높은 문제로 공간 감각과 사고력을 키우고 싶을 수도 있지요. 이런 경우 사고력수학 교재의 도형 영역으로 좀 더 심화된 학습을 하는 것을 추천합니다. 또한 우리 플라토도 좀 더 확장된 도형 학습을 필요로 하는 아이들을 위한 심화 교재를 준비하고 있으니 기대해주세요!

플라토 전체 커리

교재		S(6세)	P(7세)	A(초등학교 1학년)
1권 평면규칙	1주차	점과 선	도형 그리기	점과 선의 수
	2주차	똑같은 모양	같은 도형	여러 가지 도형
	3주차	도형 세기	도형 세기	도형 세기
	4주차	도형 규칙	도형 규칙	도형 규칙
2권 도형조작	1주차	길이 비교	같은 길이	넓이 비교
	2주차	모양 붙이기	세모 붙이기	패턴블록
	3주차	모양 자르기	네모 붙이기	도형 돌리기
	4주차	거울과 위치	거울에 비친 도형	모양 만들기
3권 입체설계	1주차	입체 모양 관찰	입체도형 관찰	입체도형 연구
	2주차	블록 모양 만들기	블록 모양 만들기	여러 가지 입체
	3주차	쌓기나무	쌓기나무	쌓기나무 세기
	4주차	입체도형 세기	층층 쌓기	입체도형 추리
4권 공간지각	1주차	잘라내기	구멍난 종이	구멍난 종이
	2주차	종이 접기	종이 접기	접고 잘라내기
	3주차	투명 종이 겹치기	여러 방향 관찰	여러 방향 관찰
	4주차	모양 겹치기	도형 겹치기	겹친 실루엣

B(초등학교 2학년)	C(초등학교 3학년)	D(초등학교 4학년)	E(초등학교 5학년)	F(초등학교 6학년)
원과 다각형	직선과 각	각도기와 각	다각형의 둘레	원주와 원주율
도형 그리기	직각이 있는 도형	삼각형	합동	원을 이용한 길이
도형 세기	도형 그리기	수직과 평행	선대칭	원의 넓이
점판 그리기	패턴 무늬	다각형	점대칭	원을 이용한 넓이
길이 재기	밀기와 뒤집기	도형의 각	직사각형의 넓이	직육면체의 겉넓이
칠교판	돌리기	삼각형의 성질	평행사변형, 삼각형의 넓이	직육면체의 부피(1)
길이의 합과 차	도형의 이동	사각형의 성질	사다리꼴, 마름모의 넓이	직육면체의 부피(2)
모양 만들기	원과 길이	선 긋기와 각	다각형의 넓이	원기둥의 겉넓이와 부피
입체도형 연구	쌓기나무 그리기	입체 찍기	직육면체	각기둥
본뜬 모양	쌓기나무 세기	입체도형 포장	직육면체의 전개도	각뿔
쌓기나무 발자국	입체의 부피	쌓기나무 포장	전개도 그리기	전개도
쌓기나무 세기	큐브 블록	포장 종이 잇기	전개도와 대각선	원기둥, 원뿔, 구
색종이 공예	색종이 공예	점의 이동	점의 이동	쌓기나무의 수
여러 방향 쌓기	구멍난 종이	모양과 점의 이동	모양과 점의 이동	위, 앞, 옆 모양
투명 종이 겹치기	여러 방향 관찰	같은 모양, 다른 모양	주사위	위, 앞, 옆과 수
그림자 추리	색종이 겹치기	정다각형을 붙인 모양	뚜껑이 없는 상자	큐브 연결

이 책의
목차

1주차 　**각도기와 각** ⋯⋯⋯⋯⋯⋯⋯ 8

2주차 　**삼각형** ⋯⋯⋯⋯⋯⋯⋯⋯⋯⋯ 22

3주차 　**수직과 평행** ⋯⋯⋯⋯⋯⋯⋯ 36

4주차 　**다각형** ⋯⋯⋯⋯⋯⋯⋯⋯⋯⋯ 50

　　　　형성 평가 ⋯⋯⋯⋯⋯⋯⋯⋯⋯ 64

1 주차

각도기와 각

1일   각도 재기 ·················· 10

2일   도형의 각도 재기 ·················· 12

3일   직각을 이용한 각 ·················· 14

4일   예각과 둔각 ·················· 16

5일   예각 세기 ·················· 18

확인학습 ·················· 20

1일 각도 재기

✏️ 각도기를 이용하여 표시된 각도를 재어 ☐ 안에 써넣으시오.

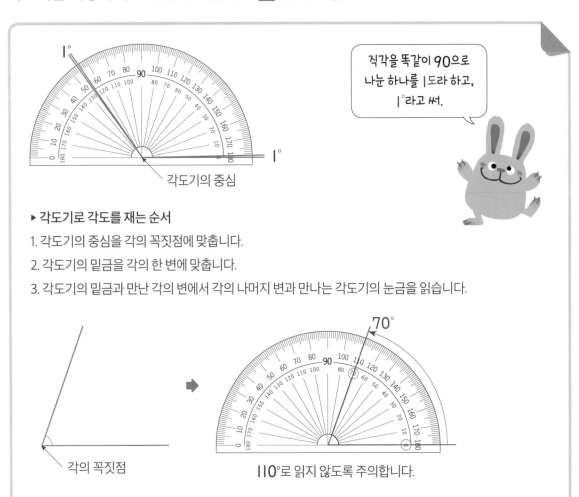

말풍선: 직각을 똑같이 **90**으로 나눈 하나를 |도라 하고, |°라고 써.

각도기의 중심

▶ **각도기로 각도를 재는 순서**

1. 각도기의 중심을 각의 꼭짓점에 맞춥니다.

2. 각도기의 밑금을 각의 한 변에 맞춥니다.

3. 각도기의 밑금과 만난 각의 변에서 각의 나머지 변과 만나는 각도기의 눈금을 읽습니다.

각의 꼭짓점

70°

110°로 읽지 않도록 주의합니다.

1

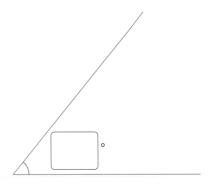

2

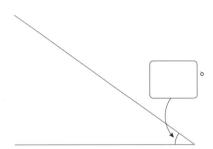

3

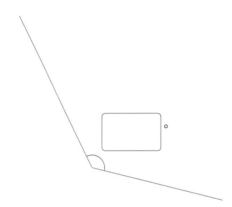

4

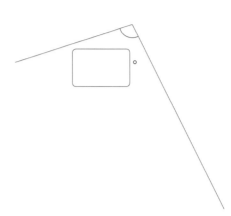

5

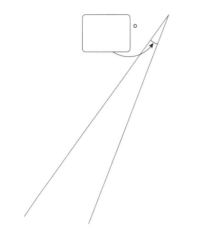

6

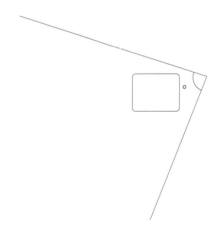

7

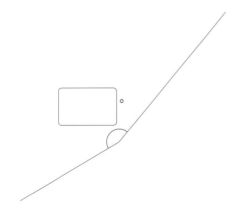

8

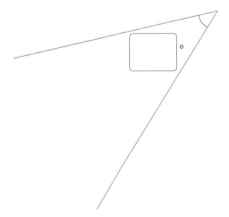

도형의 각도 재기

✏️ 각도기를 이용하여 도형의 표시된 각도를 재어 ▢ 안에 써넣으시오.

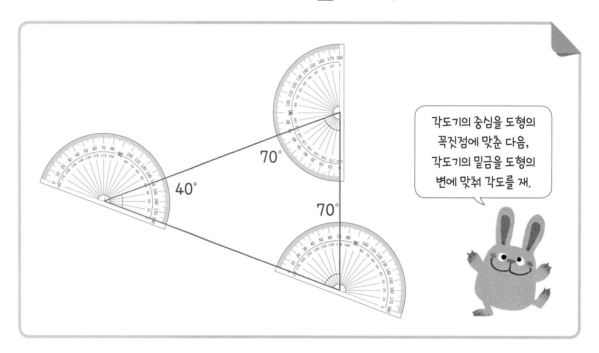

40°   70°   70°

각도기의 중심을 도형의
꼭짓점에 맞춘 다음,
각도기의 밑금을 도형의
변에 맞춰 각도를 재.

1

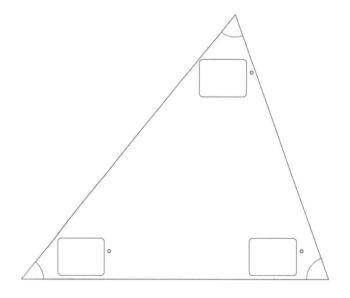

2

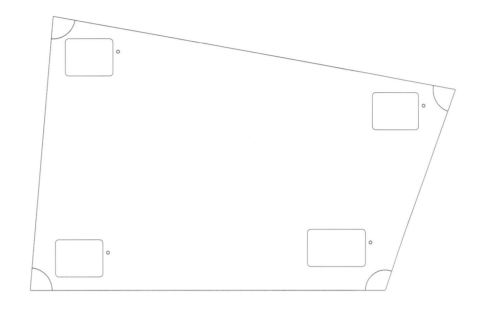

3

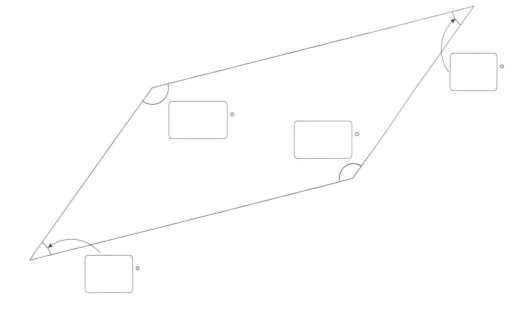

직각을 이용한 각

 직각이 **90**°임을 이용하여 표시된 각의 크기를 구하시오.

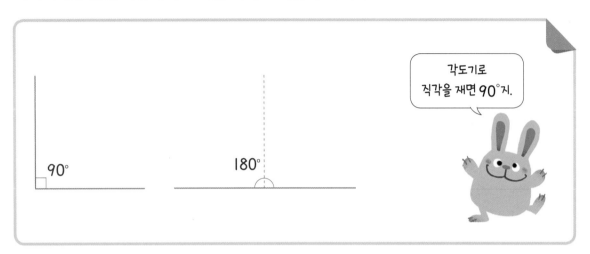

1

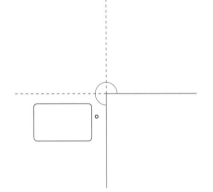

2

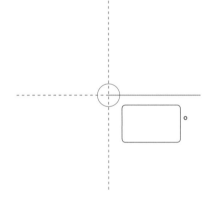

3

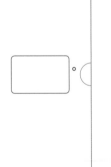

4

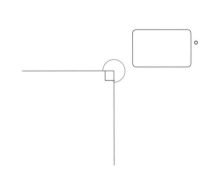

5

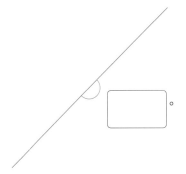

6

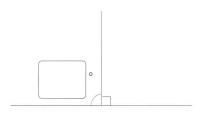

7

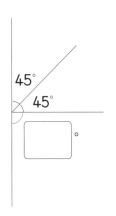

8

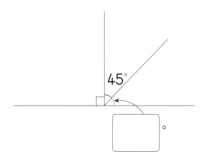

9

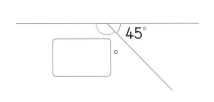

10

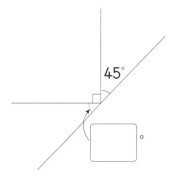

4일 예각과 둔각

종류가 다른 각 하나를 찾아 ✕표 하시오.

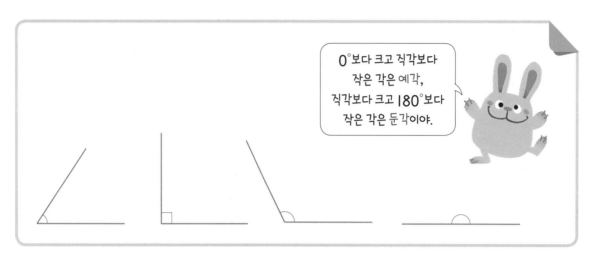

0°보다 크고 직각보다 작은 각은 예각, 직각보다 크고 180°보다 작은 각은 둔각이야.

1

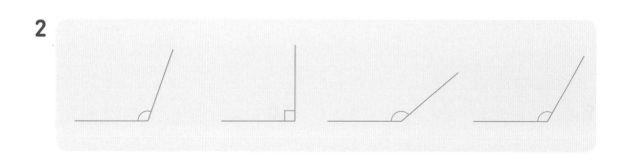

2

3

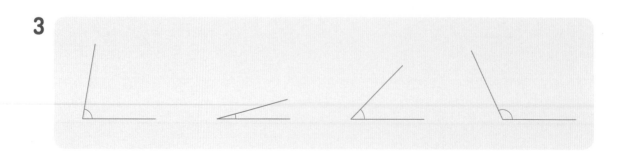

주차: 각도기와 각**17**

예각 세기

✏️ 크고 작은 예각의 수를 모두 세어 ☐ 안에 써넣으시오.

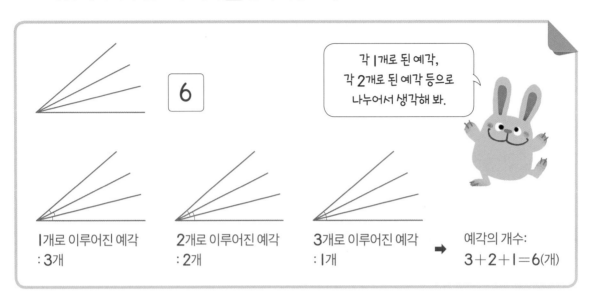

각 1개로 된 예각,
각 2개로 된 예각 등으로
나누어서 생각해 봐.

1개로 이루어진 예각
: 3개

2개로 이루어진 예각
: 2개

3개로 이루어진 예각
: 1개

➡️ 예각의 개수:
3＋2＋1＝6(개)

6

1

☐

2

☐

3

☐

4

☐

5

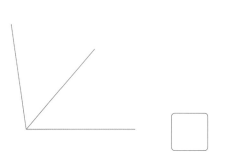

6

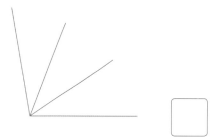

7

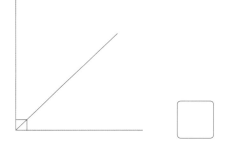

8

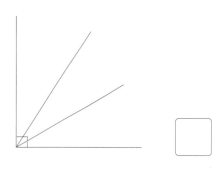

9

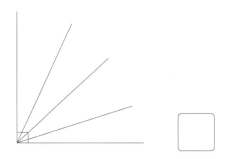

10

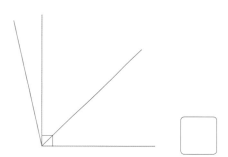

✏️ 각도기를 이용하여 표시된 각도를 재어 ☐ 안에 써넣으시오.

1

2

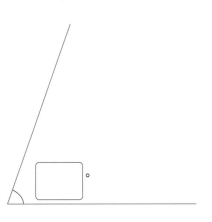

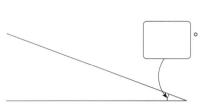

✏️ 각도기를 이용하여 도형의 표시된 각도를 재어 ☐ 안에 써넣으시오.

3

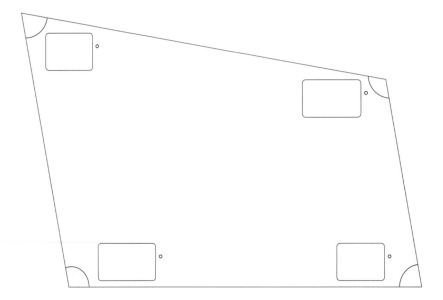

직각을 이용하여 표시된 각의 크기를 구하시오.

4

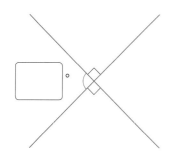

5

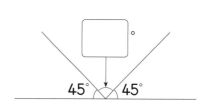

 크고 작은 예각의 수를 모두 세어 ☐ 안에 써넣으시오.

6

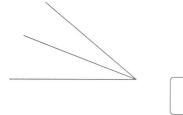

7

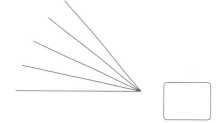

8

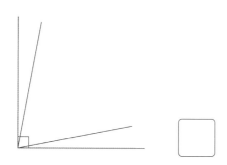

9

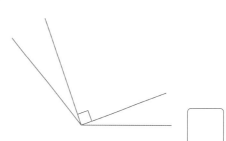

2 주차

삼각형

1일 예각삼각형과 둔각삼각형 ············· 24

2일 정삼각형 ····························· 26

3일 정삼각형 세기 ······················ 28

4일 이등변삼각형 ······················· 30

5일 이등변삼각형 그리기 ··············· 32

확인학습 ································ 34

1일 예각삼각형과 둔각삼각형

✏️ 종류가 다른 삼각형 하나를 찾아 ✕표 하시오.

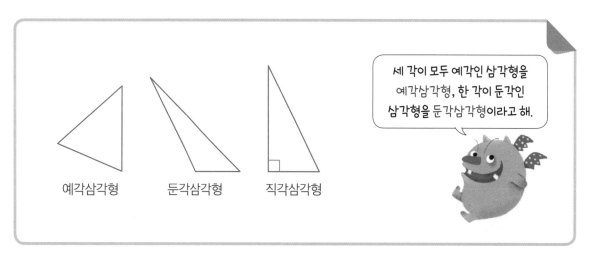

1

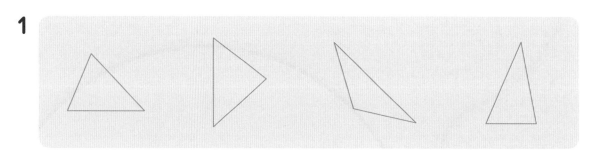

2

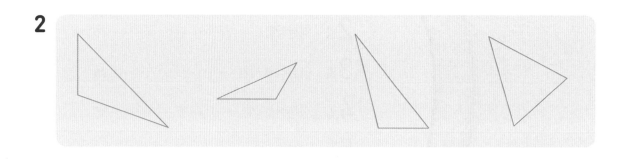

3

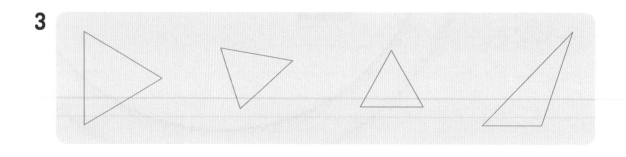

4

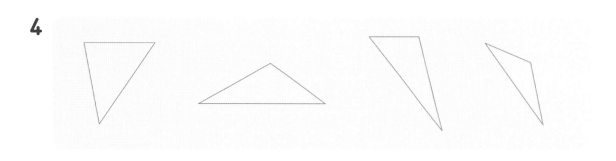

5

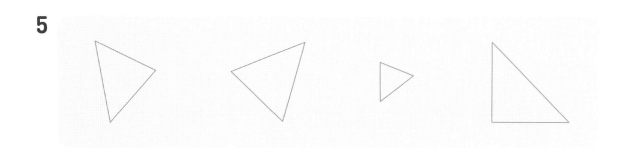

6

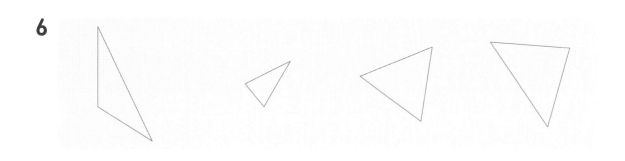

7

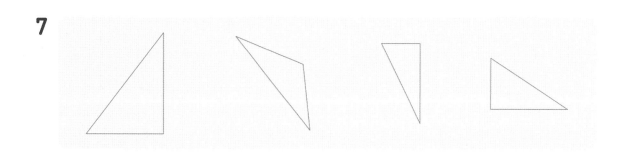

정삼각형

✏️ 주어진 선분을 한 변으로 하는 정삼각형을 그려 보시오.

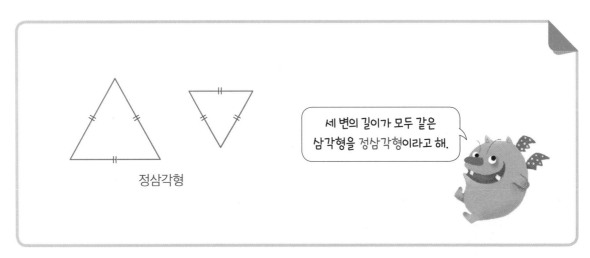

정삼각형

세 변의 길이가 모두 같은
삼각형을 정삼각형이라고 해.

1

2

3

4

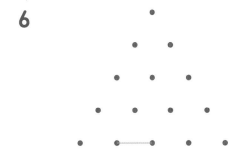

5

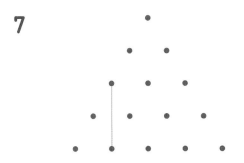

6

7

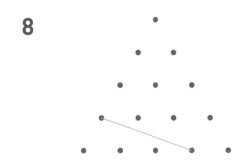

8

9

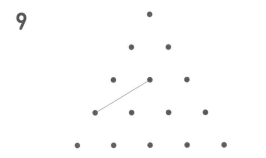

10

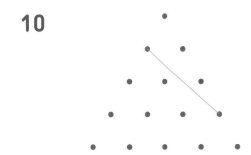

정삼각형 세기

✏️ 크고 작은 정삼각형의 수를 모두 세어 ☐ 안에 써넣으시오.

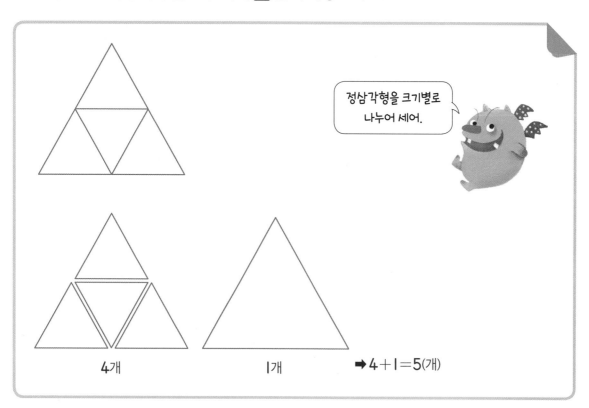

정삼각형을 크기별로
나누어 세어.

4개   1개   ➡ 4+1=5(개)

1

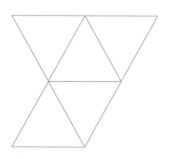

☐

2

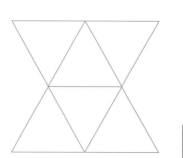

☐

3

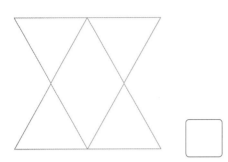

4

5

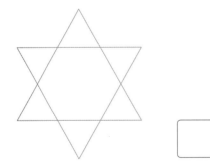

6

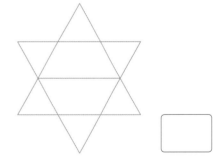

7

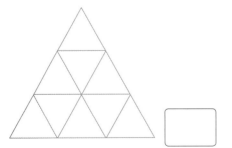

8

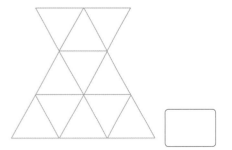

이등변삼각형

선을 따라 잘랐을 때 나오는 도형 중 이등변삼각형을 모두 찾아 ○표 하시오.

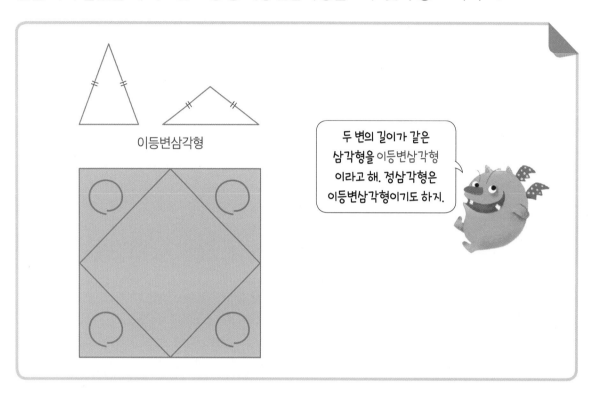

이등변삼각형

두 변의 길이가 같은 삼각형을 이등변삼각형 이라고 해. 정삼각형은 이등변삼각형이기도 하지.

1

2

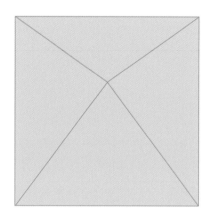

3

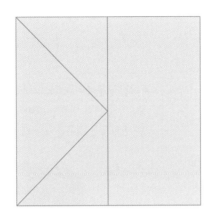

4

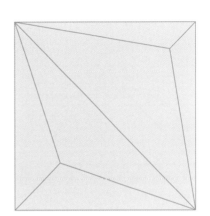

5

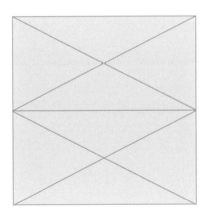

6

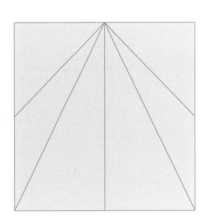

7

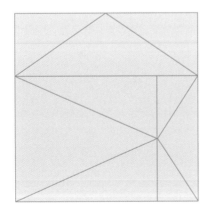

8

이등변삼각형 그리기

✏️ 원 위에 같은 간격으로 점이 찍혀 있습니다. 주어진 선분을 한 변으로 하는 이등변삼각형을 모두 그려 보시오.

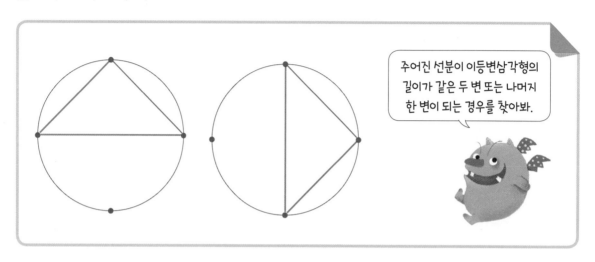

주어진 선분이 이등변삼각형의 길이가 같은 두 변 또는 나머지 한 변이 되는 경우를 찾아봐.

1

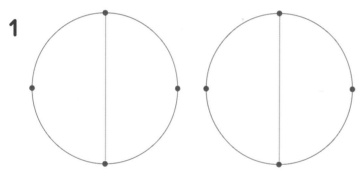

2

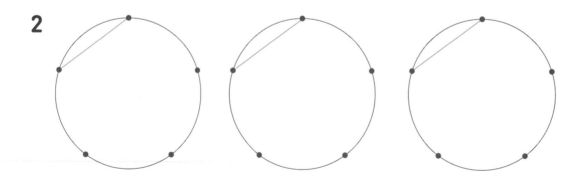

3

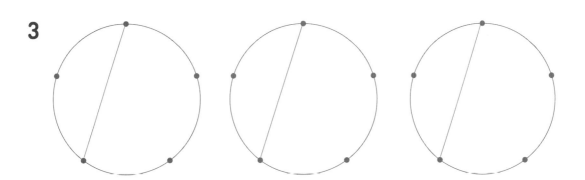

4

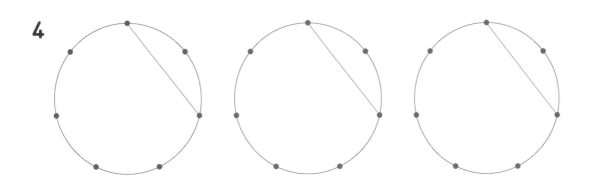

5

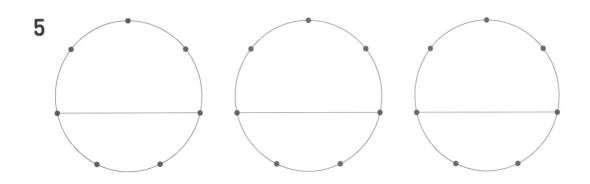

주어진 선분을 한 변으로 하는 정삼각형을 그려 보시오.

1

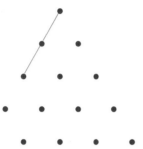

2

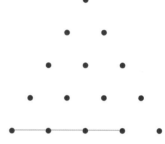

크고 작은 정삼각형의 수를 모두 세어 ☐ 안에 써넣으시오.

3

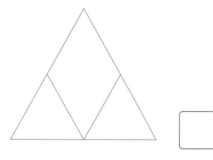

4

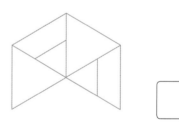

5

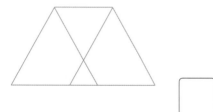

6

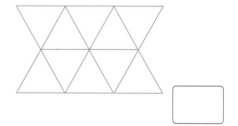

✏️ 선을 따라 잘랐을 때 나오는 도형 중 이등변삼각형을 모두 찾아 ○표 하시오.

7

8

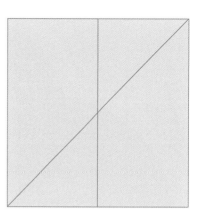

✏️ 원 위에 같은 간격으로 점이 찍혀 있습니다. 주어진 선분을 한 변으로 하는 이등변삼각형을 모두 그려 보시오.

9

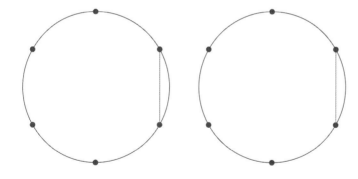

10

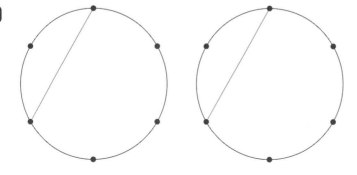

3 주차

수직과 평행

1일 수선 긋기 ·················· 38

2일 평행선 긋기 ·················· 40

3일 평행한 변 ·················· 42

4일 사다리꼴 ·················· 44

5일 평행사변형 ·················· 46

확인학습 ·················· 48

수선 긋기

점 ㄱ을 지나고 주어진 선분과 수직인 직선을 그어 보시오.

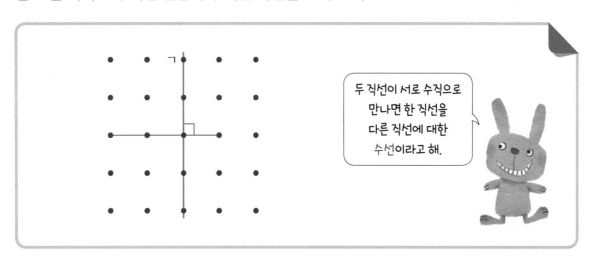

두 직선이 서로 수직으로 만나면 한 직선을 다른 직선에 대한 수선이라고 해.

1

2

3

4

5

6

7

8

9

10

평행선 긋기

✏️ 점 ㄱ을 지나고 주어진 선분과 평행한 직선을 그어 보시오.

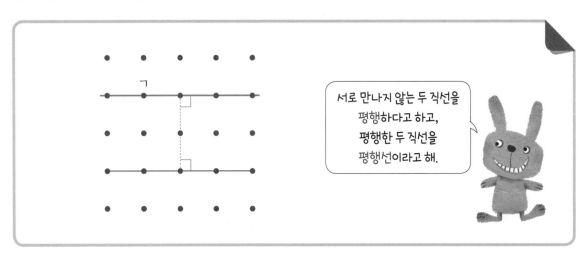

서로 만나지 않는 두 직선을 평행하다고 하고, 평행한 두 직선을 평행선이라고 해.

1

2

3

4

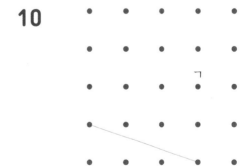

5

6

7

8

9

10

평행한 변

✏️ 도형에서 평행한 변끼리 같은 모양(○ 또는 △)으로 표시하시오.

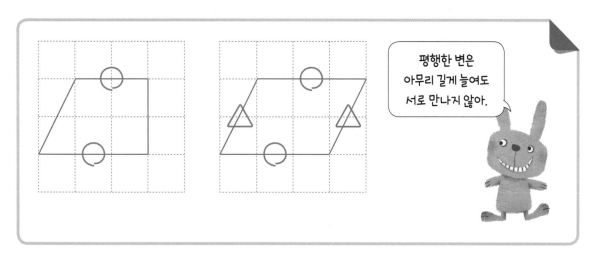

1

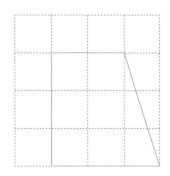

2

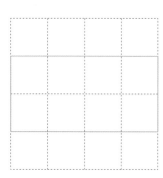

3

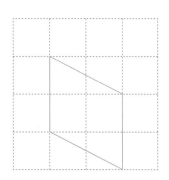

4

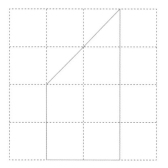

5

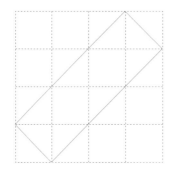

6

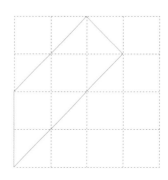

7

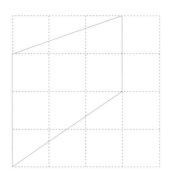

8

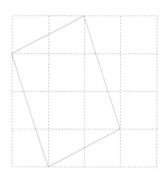

9

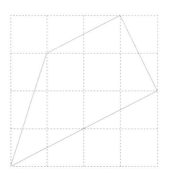

10

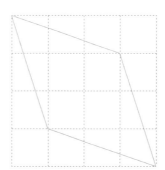

4일 사다리꼴

✏️ 사다리꼴을 모두 찾아 ◯표 하시오.

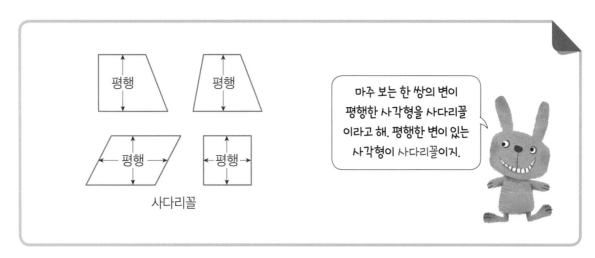

마주 보는 한 쌍의 변이 평행한 사각형을 사다리꼴이라고 해. 평행한 변이 있는 사각형이 사다리꼴이지.

1

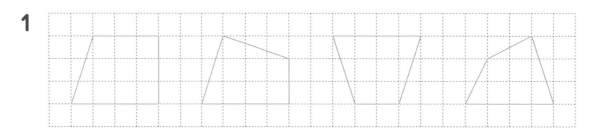

2

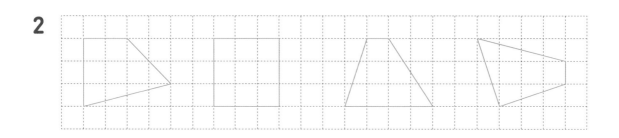

3

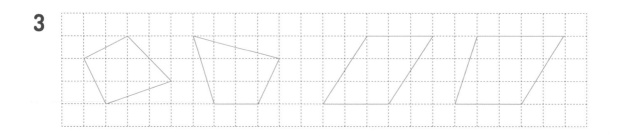

4

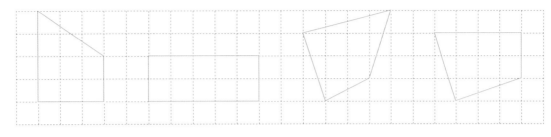

5

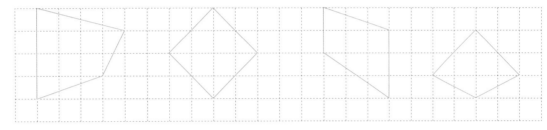

6

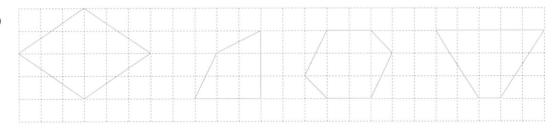

7

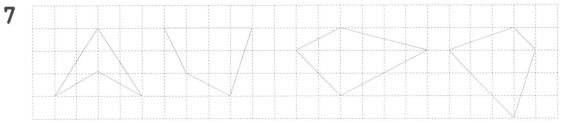

✏️ 평행사변형을 모두 찾아 ◯표 하시오.

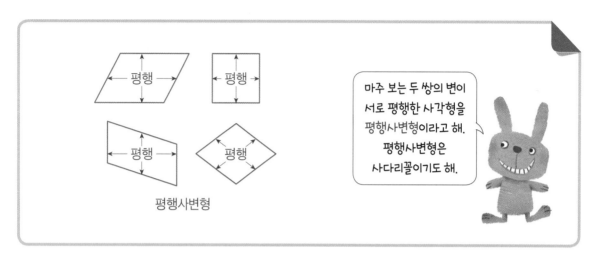

1

2

3

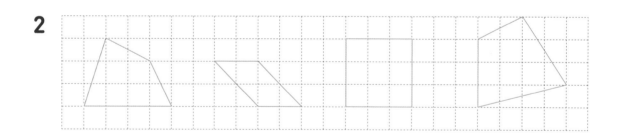

4

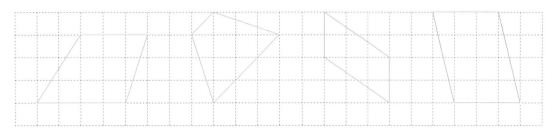

5

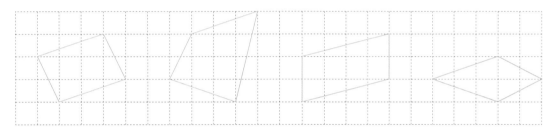

6

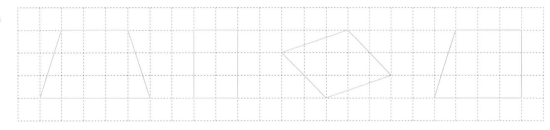

7

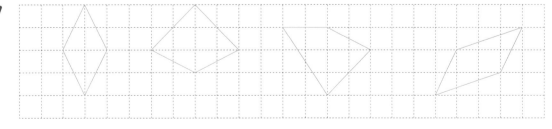

✏️ 점 ㄱ을 지나고 주어진 선분과 수직인 직선을 그어 보시오.

1

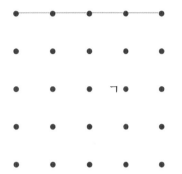

2

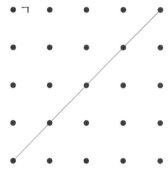

✏️ 점 ㄱ을 지나고 주어진 선분과 평행한 직선을 그어 보시오.

3

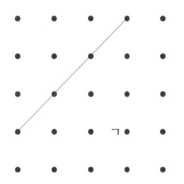

4

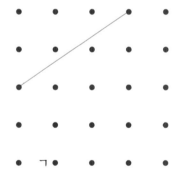

5

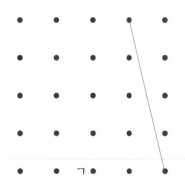

6

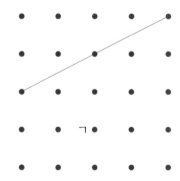

✏️ 사다리꼴을 모두 찾아 ◯표 하시오.

7

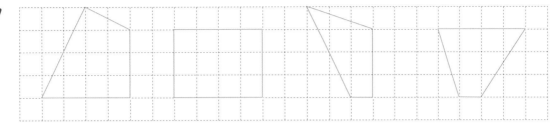

✏️ 주어진 두 선분을 두 변으로 하는 평행사변형을 그려 보시오.

8

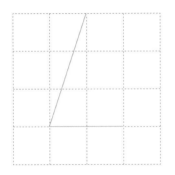

9

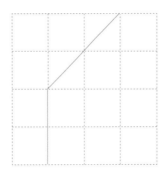

10

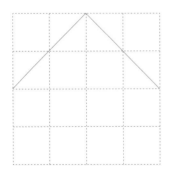

11

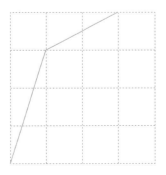

4주차

다각형

1일 　마름모 ···················· 52

2일 　사각형 이름 찾기 ·············· 54

3일 　사각형의 관계 ················ 56

4일 　다각형 ···················· 58

5일 　색종이 자르기 ················ 60

확인학습 ·························· 62

마름모

주어진 선분을 한 변으로 하는 마름모를 그려 보시오.

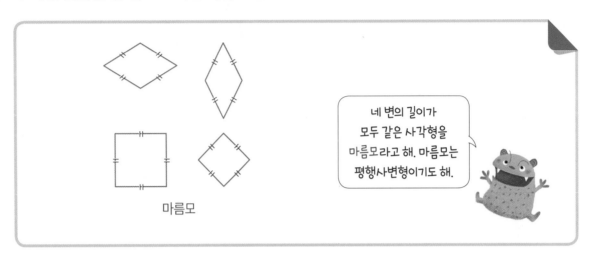

네 변의 길이가
모두 같은 사각형을
마름모라고 해. 마름모는
평행사변형이기도 해.

마름모

1

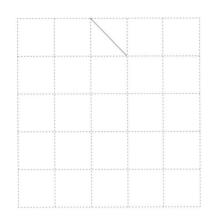

2

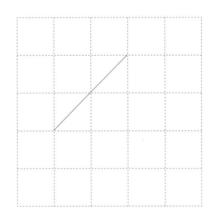

3

4

5

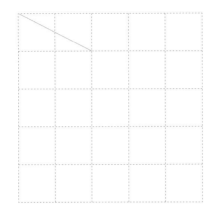

6

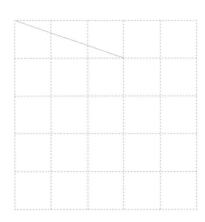

7

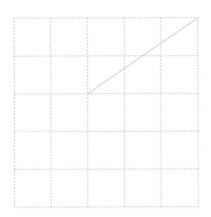

8

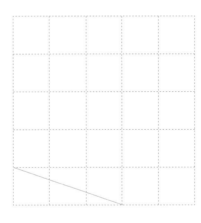

9

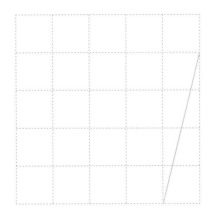

10

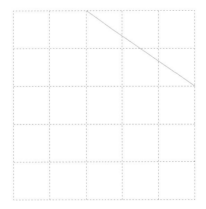

사각형 이름 찾기

✏️ 주어진 사각형에 해당하는 이름을 모두 찾아 ◯표 하시오.

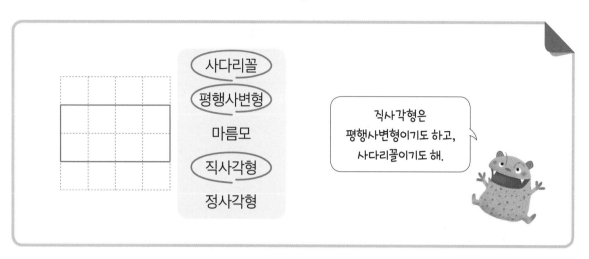

⬭사다리꼴

⬭평행사변형

마름모

⬭직사각형

정사각형

직사각형은 평행사변형이기도 하고, 사다리꼴이기도 해.

1

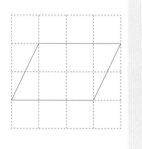

사다리꼴

평행사변형

마름모

직사각형

정사각형

2

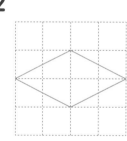

사다리꼴

평행사변형

마름모

직사각형

정사각형

3

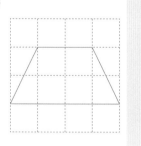

사다리꼴

평행사변형

마름모

직사각형

정사각형

4

사다리꼴

평행사변형

마름모

직사각형

정사각형

5

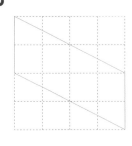

사다리꼴

평행사변형

마름모

직사각형

정사각형

6

사다리꼴

평행사변형

마름모

직사각형

정사각형

7

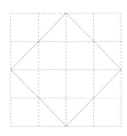

사다리꼴

평행사변형

마름모

직사각형

정사각형

8

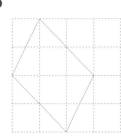

사다리꼴

평행사변형

마름모

직사각형

정사각형

9

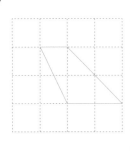

사다리꼴

평행사변형

마름모

직사각형

정사각형

10

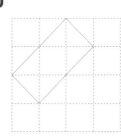

사다리꼴

평행사변형

마름모

직사각형

정사각형

사각형의 관계

✎ 옳은 것은 ◯표, 틀린 것은 ✕표 하시오.

> 직사각형은 평행사변형입니다. ⸺⸺⸺ (◯)
>
> ➡ ▭ 은 평행사변형입니다.
>
> 평행사변형은 직사각형입니다. ⸺⸺⸺ (✕)
>
> ➡ ▱ 은 직사각형입니다.

도형을 그려 보면 쉽게 알 수 있어.

1 평행사변형은 사다리꼴입니다. ⸺⸺⸺ (   )

2 정사각형은 평행사변형입니다. ⸺⸺⸺ (   )

3 직사각형은 네 변의 길이가 모두 같습니다. ⸺⸺⸺ (   )

4 사다리꼴은 정사각형입니다. ⸺⸺⸺ (   )

5 정사각형은 직사각형입니다. ⸺⸺⸺ (   )

6 사다리꼴은 평행사변형입니다. ⸺⸺⸺⸺⸺⸺⸺⸺⸺⸺ (   )

7 직사각형은 마름모입니다. ⸺⸺⸺⸺⸺⸺⸺⸺⸺⸺⸺ (   )

8 정사각형은 마름모입니다. ⸺⸺⸺⸺⸺⸺⸺⸺⸺⸺⸺ (   )

9 마름모는 사다리꼴입니다. ⸺⸺⸺⸺⸺⸺⸺⸺⸺⸺⸺ (   )

10 정사각형은 평행사변형입니다. ⸺⸺⸺⸺⸺⸺⸺⸺⸺ (   )

11 마름모는 정사각형입니다. ⸺⸺⸺⸺⸺⸺⸺⸺⸺⸺ (   )

12 마름모는 마주 보는 두 쌍의 변이 서로 평행합니다. ⸺⸺ (   )

4일 **다각형**

주어진 다각형을 찾아 ○표 하시오.

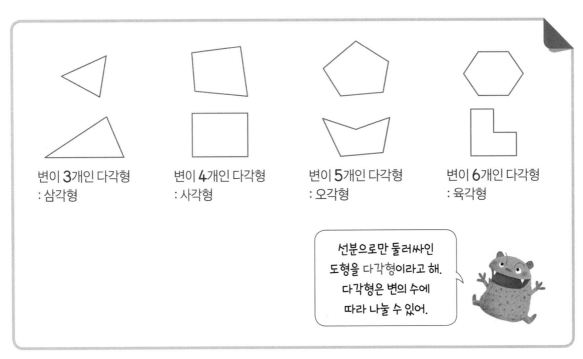

1 삼각형

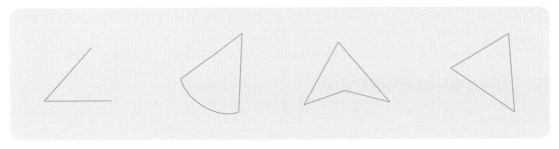

2 사각형

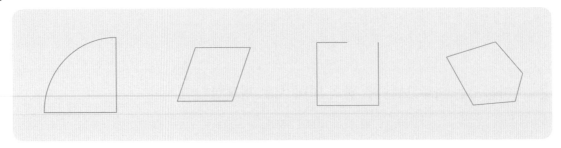

3 오각형

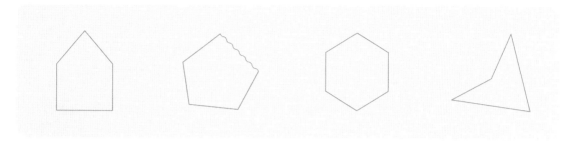

4 육각형

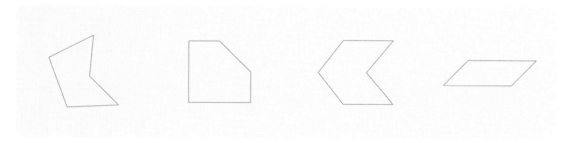

5 칠각형

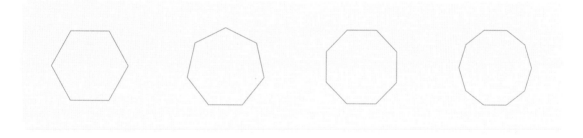

6 팔각형

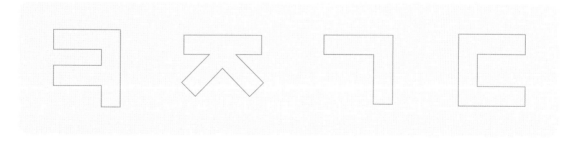

색종이 자르기

다각형이 주어진 수만큼 나오도록 직선 **2**개를 그어 보시오.

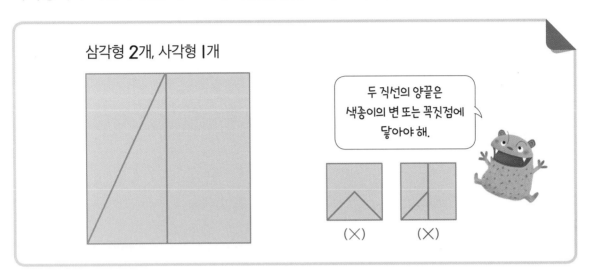

삼각형 **2**개, 사각형 **1**개

두 직선의 양끝은
색종이의 변 또는 꼭짓점에
닿아야 해.

(X) (X)

1 삼각형 **4**개

2 사각형 **4**개

3 삼각형 **2**개, 육각형 **1**개

4 삼각형 **2**개, 오각형 **1**개

5 삼각형 **2**개, 사각형 **2**개

6 삼각형 **I**개, 사각형 **2**개

7 삼각형 **3**개, 사각형 **I**개

8 삼각형 **2**개, 사각형 **I**개, 오각형 **I**개

9 삼각형 **2**개, 사각형 **I**개, 육각형 **I**개

10 삼각형 **2**개, 오각형 **2**개

✏️ 주어진 선분을 한 변으로 하는 마름모를 그려 보시오.

1
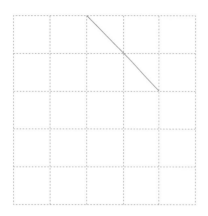

2
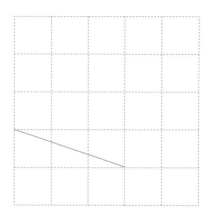

✏️ 주어진 사각형에 해당하는 이름을 모두 찾아 ○표 하시오.

3
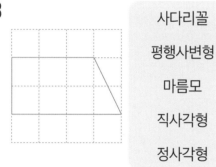

사다리꼴

평행사변형

마름모

직사각형

정사각형

4
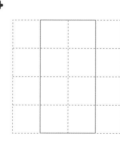

사다리꼴

평행사변형

마름모

직사각형

정사각형

5

사다리꼴

평행사변형

마름모

직사각형

정사각형

6
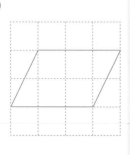
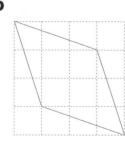

사다리꼴

평행사변형

마름모

직사각형

정사각형

옳은 것은 ○표, 틀린 것은 ✕표 하시오.

7 직사각형은 사다리꼴입니다. ⋯⋯⋯⋯⋯⋯⋯⋯⋯⋯⋯⋯⋯⋯⋯ (   )

8 평행사변형은 네 변의 길이가 모두 같습니다. ⋯⋯⋯⋯⋯⋯⋯ (   )

다각형이 주어진 수만큼 나오도록 직선 **2**개를 그어 보시오.

9 사각형 **3**개

10 삼각형 **3**개

11 삼각형 **I**개 사각형 **3**개

12 삼각형 **I**개, 사각형 **I**개, 오각형 **I**개

형성 평가

➕ 형성 평가에는 앞서 공부한 4주 차의 유형이 순서대로 나옵니다.

➕ 문제가 틀리면 몇 주 차인지 확인하여 반드시 다시 한번 복습합니다.

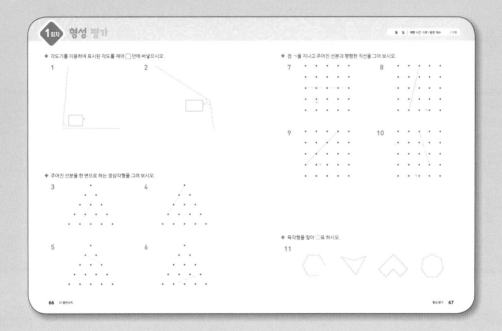

➕ 각도기를 이용하여 표시된 각도를 재어 ☐ 안에 써넣으시오.

1

2

➕ 주어진 선분을 한 변으로 하는 정삼각형을 그려 보시오.

3

4

5

6

➕ 점 ㄱ을 지나고 주어진 선분과 평행한 직선을 그어 보시오.

7

8

9

10

➕ 육각형을 찾아 ◯표 하시오.

11

각도기를 이용하여 표시된 각도를 재어 ☐ 안에 써넣으시오.

1

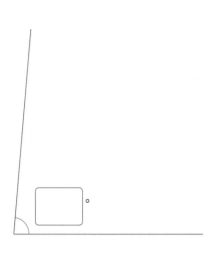

2

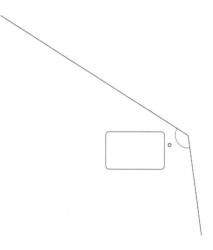

주어진 선분을 한 변으로 하는 정삼각형을 그려 보시오.

3

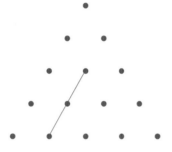

4

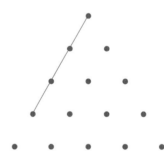

5

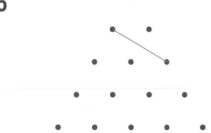

6

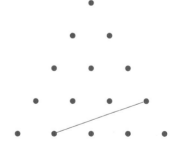

✚ 점 ㄱ을 지나고 주어진 선분과 평행한 직선을 그어 보시오.

7

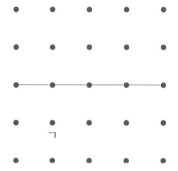

8

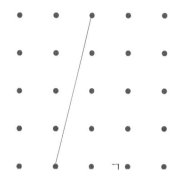

9

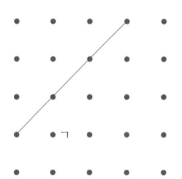

10

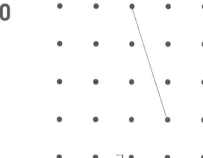

✚ 육각형을 찾아 ◯표 하시오.

11

  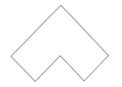

✦ 각도기를 이용하여 도형에서 표시된 각도를 재어 ☐ 안에 써넣으시오.

1

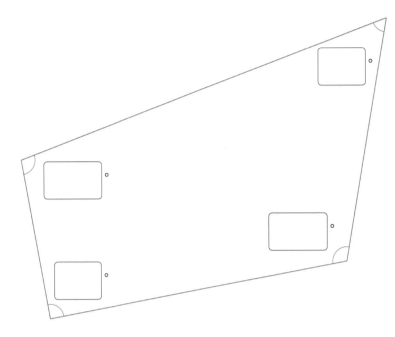

✦ 크고 작은 정삼각형의 수를 모두 세어 ☐ 안에 써넣으시오.

2

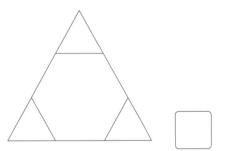

3

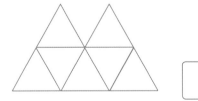

✚ 점 ㄱ을 지나고 주어진 선분과 수직인 직선을 그어 보시오.

4
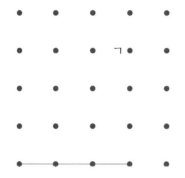

5
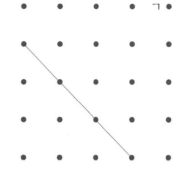

6
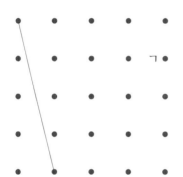

7
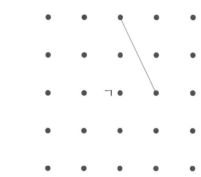

✚ 다각형이 주어진 수만큼 나오도록 직선 2개를 그어 보시오.

8 삼각형 2개, 사각형 1개

9 삼각형 1개, 사각형 2개, 오각형 1개

✚ 종류가 다른 각 하나를 찾아 ✕표 하시오.

1

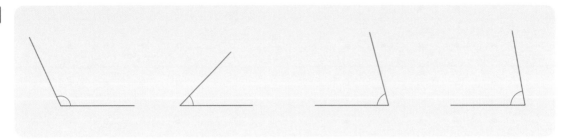

2

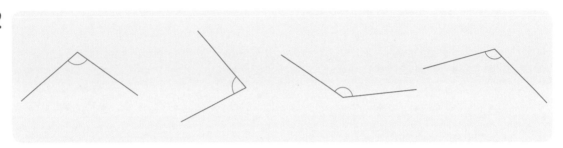

✚ 원 위에 같은 간격으로 점이 찍혀 있습니다. 주어진 선분을 한 변으로 하는 이등변삼각형 을 모두 그려 보시오.

3

✚ 사다리꼴을 모두 찾아 ◯표 하시오.

4

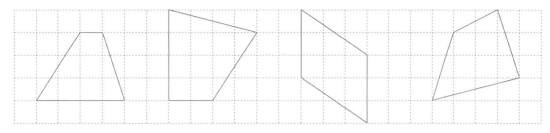

✚ 주어진 선분을 한 변으로 하는 마름모를 그려 보시오.

5

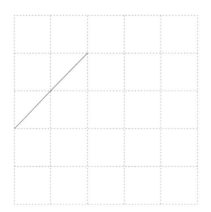

6

7

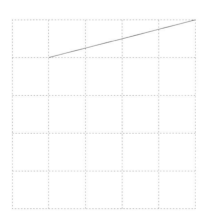

8

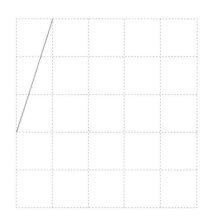

✚ 크고 작은 예각의 수를 모두 세어 ☐ 안에 써넣으시오.

1

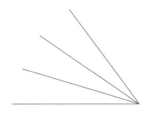

☐

2

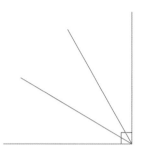

☐

✚ 종류가 다른 삼각형 하나를 찾아 ✕표 하시오.

3

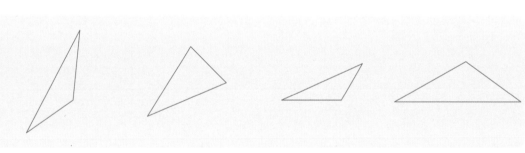

4

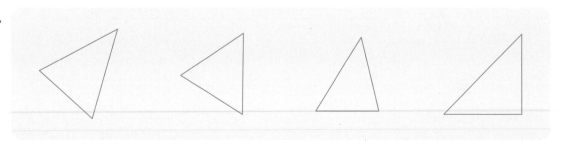

✚ 도형에서 평행한 변끼리 같은 모양(○ 또는 △)으로 표시하시오.

5
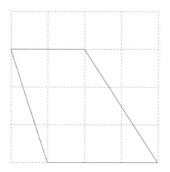

6
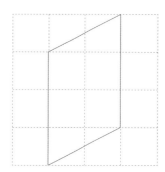

7
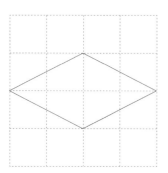

8
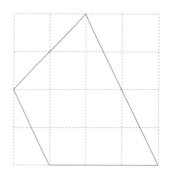

✚ 주어진 사각형에 해당하는 이름을 모두 찾아 ○표 하시오.

9
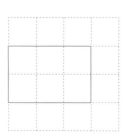

사다리꼴

평행사변형

마름모

직사각형

정사각형

10
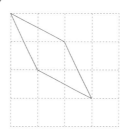

사다리꼴

평행사변형

마름모

직사각형

정사각형

✚ 직각이 **90°**임을 이용하여 표시된 각의 크기를 구하시오.

1

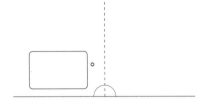

2

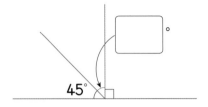

45°

✚ 선을 따라 잘랐을 때 나오는 도형 중 이등변삼각형을 모두 찾아 ◯표 하시오.

3

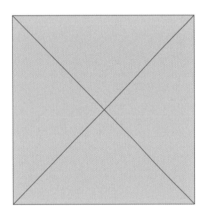

4

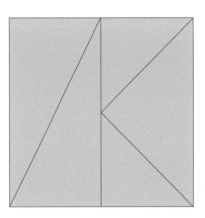

5

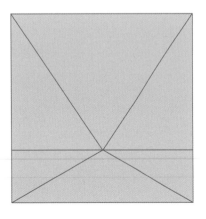

6

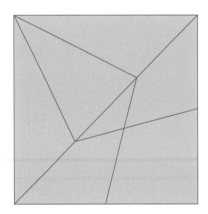

✤ 평행사변형을 모두 찾아 ◯표 하시오.

7

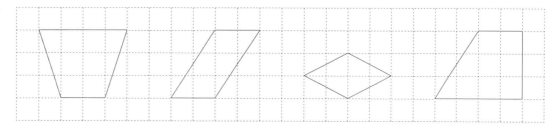

8

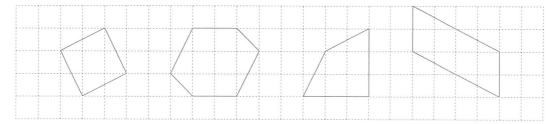

✤ 옳은 것은 ◯표, 틀린 것은 ✕표 하시오.

9 정사각형은 직사각형입니다. ───────────────── (   )

10 평행사변형은 마름모입니다. ───────────────── (   )

11 직사각형은 사다리꼴입니다. ───────────────── (   )

Memo

Memo

Memo

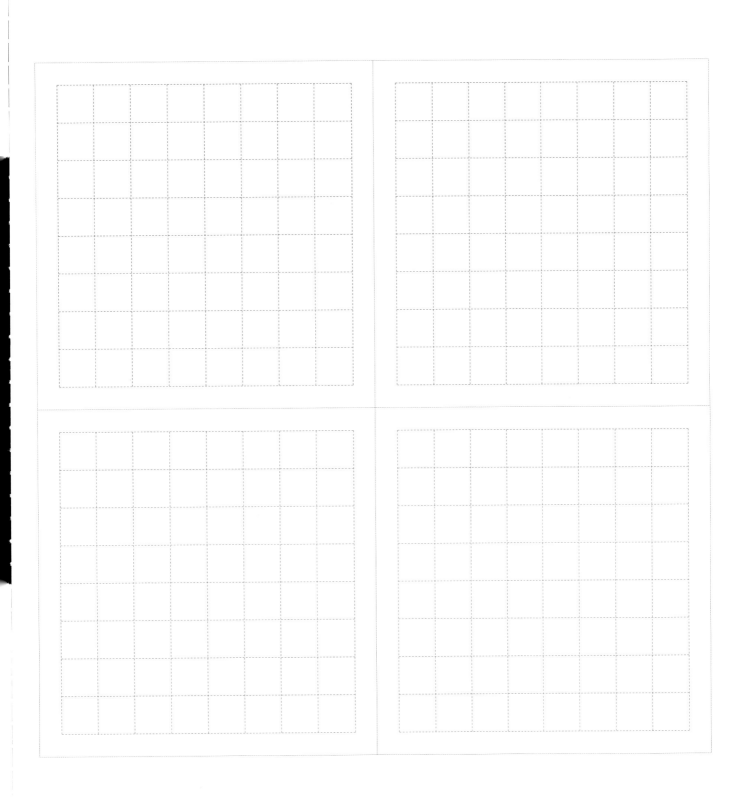

도형 학습의 기준

플라토

PLATO

D1

평면규칙 | 초4

정답

사고가 자라는 수학
씨투엠

도형 학습의 기준

플라토
PLATO

D1
평면규칙 | 초4

사고가 자라는 수학
시매쓰

정답과 해설

1일 각도 재기

✏️ 각도기를 이용하여 표시된 각도를 재어 ☐ 안에 써넣으시오.

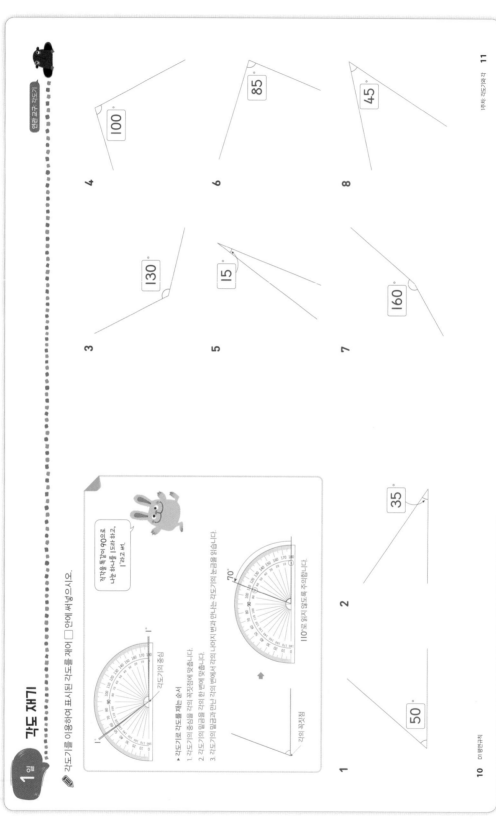

각도 재기

각을 이루는 두 변이 직선이면 각도를 잴 수 없어요.

▶ 각도기로 각도를 재는 순서

1. 각도기의 중심을 각의 꼭짓점에 맞춥니다.
2. 각도기의 밑금을 각의 한 변에 맞춥니다.
3. 각도기의 밑금과 만나는 각의 변에서 나머지 나머지 변과 만나는 각도기의 눈금을 읽습니다.

각의 꼭짓점

각의 꼭짓점

110도 읽지 않도록 주의합니다.

각을 똑같이 90으로 나눈 하나를 1도라 하고, 1°라고 써.

1   50°   50°
2   70°   35°
3   130°
4   100°
5   15°
6   85°
7   160°
8   45°

2일 도형의 각도 재기

✏️ 각도기를 이용하여 도형의 표시된 각도를 재어 ☐ 안에 써넣으시오.

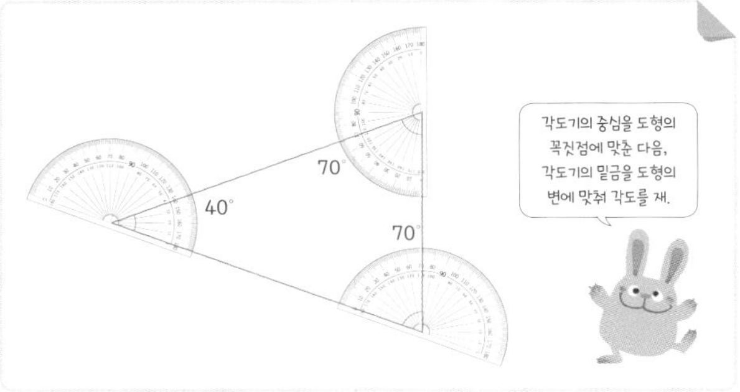

각도기의 중심을 도형의 꼭짓점에 맞춘 다음, 각도기의 밑금을 도형의 변에 맞춰 재요.

1
60, 70, 50, 70

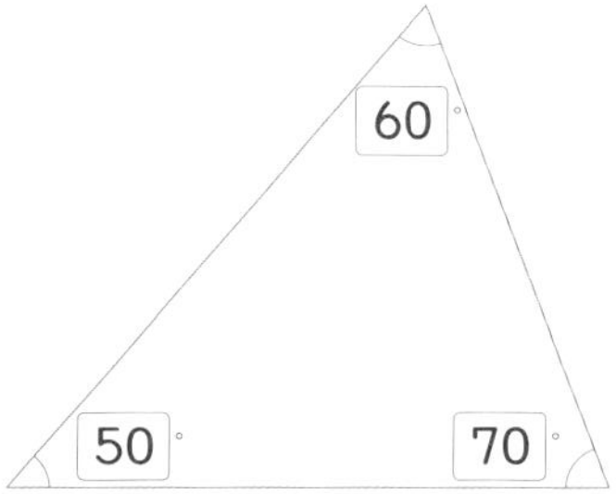

2
80, 110, 85, 85

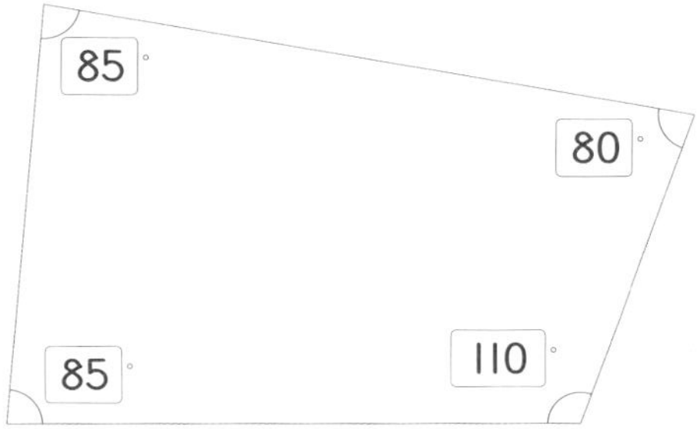

3
40, 140, 140, 40, 40

연꿔 교우·려도기

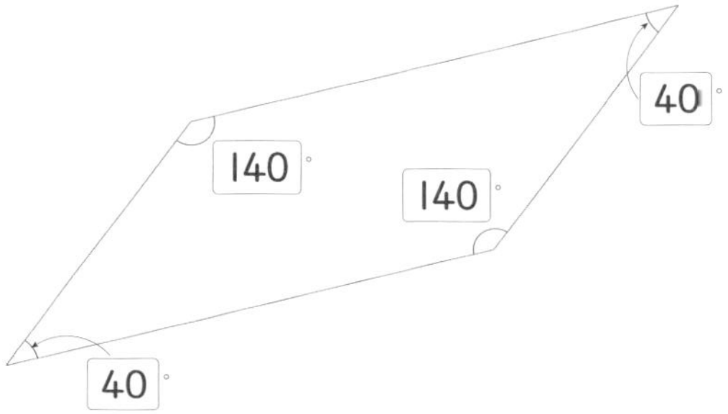

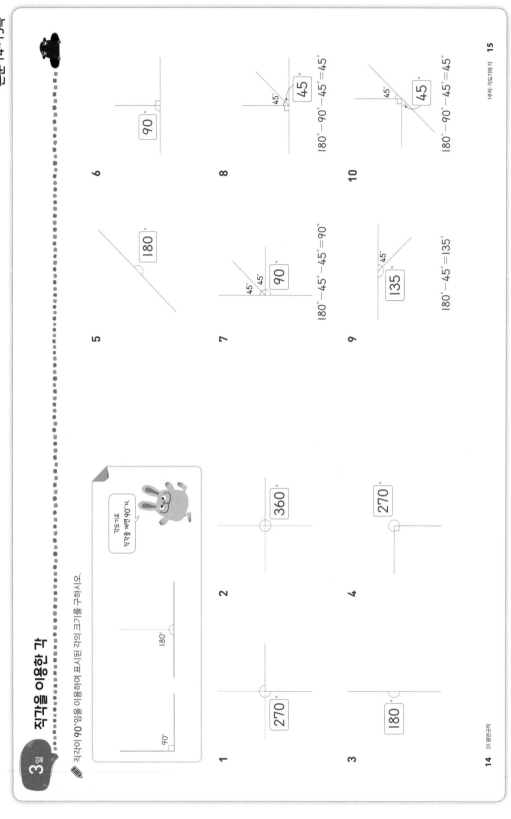

3일 직각을 이용한 각

직각이 90°임을 이용하여 표시된 각의 크기를 구하시오.

각도기로
직각을 재면 90°거.

90°   180°

1   270°

2   360°

3   180°

4   270°

5   180°

6   90°

7   45° 45°   90°
180° − 45° − 45° = 90°

8   45°   45°
180° − 90° − 45° = 45°

9   45°   135°
180° − 45° = 135°

10   45°   45°
180° − 90° − 45° = 45°

정답 5

4일 예각과 둔각

✏️ 종류가 다른 각 하나를 찾아 X표 하시오.

0°보다 크지만 직각보다 작은 각은 예각, 직각보다 크고 180°보다 작은 각은 둔각이야.

모양을 보고 예각과 둔각을 구분 할 때에는 직각을 기준으로 생각하면 쉽게 구분할 수 있습니다.

5일 예각 세기

크고 작은 예각의 수를 모두 세어 ☐ 안에 써넣으시오.

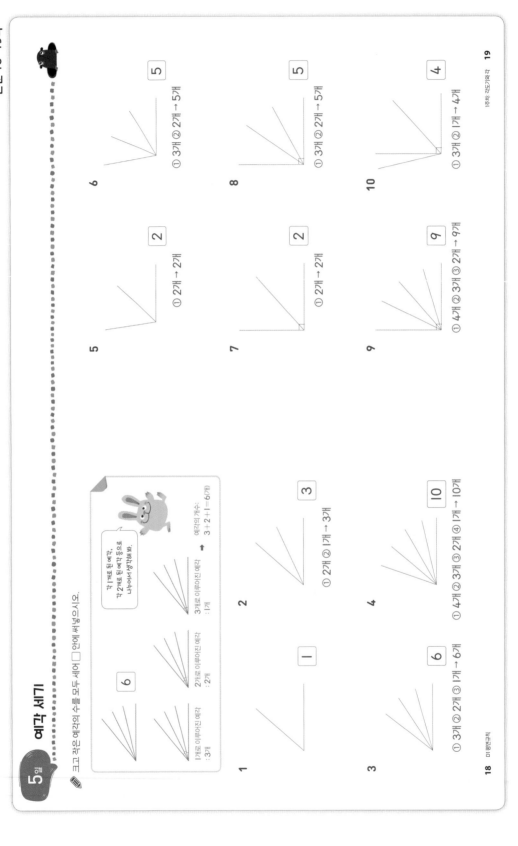

각 1개로 된 예각, 각 2개로 된 예각 등으로 나누어서 생각해 봐.

예각의 개수:
3 + 2 + 1 = 6(개)

1개로 이루어진 예각 : 3개
2개로 이루어진 예각 : 2개
3개로 이루어진 예각 : 1개

1   6

2   1

① 2개 ② 1개 → 3개   3

3   6

① 3개 ② 2개 ③ 1개 → 6개

4   10

① 4개 ② 3개 ③ 2개 ④ 1개 → 10개

5   2

① 2개 → 2개

6   5

① 3개 ② 2개 → 5개

7   2

① 2개 → 2개

8   5

① 3개 ② 2개 → 5개

9   9

① 4개 ② 3개 ③ 2개 → 9개

10   4

① 3개 ② 1개 → 4개

확인학습

◆ 각도기를 이용하여 표시된 각도를 재어 ☐ 안에 써넣으시오.

1

70°

2

20

◆ 각도기를 이용하여 도형의 표시된 각도를 재어 ☐ 안에 써넣으시오.

3

70° 110 100° 80°

◆ 각도를 이용하여 표시된 각의 크기를 구하시오.

4

90

5

90
45° 45°

$180° - 45° - 45° = 90°$

◆ 크고 작은 예각의 수를 모두 세어 ☐ 안에 써넣으시오.

6

3
① 2개 ② 1개 → 3개

7

10
① 4개 ② 3개 ③ 2개 ④ 1개 → 10개

8

5
① 3개 ② 2개 → 5개

9

2
① 2개 → 2개

1일 예각삼각형과 둔각삼각형

종류가 다른 삼각형 하나를 찾아 ✕표 하시오.

예각삼각형   둔각삼각형   직각삼각형

세 각이 모두 예각이면 예각삼각형, 한 각이 둔각이면 둔각삼각형, 한 각이 직각이면 직각삼각형입니다.

1 하나만 둔각삼각형입니다.

2 하나만 예각삼각형입니다.

3 하나만 둔각삼각형입니다.

4 하나만 예각삼각형입니다.

5 하나만 직각삼각형입니다.

6 하나만 둔각삼각형입니다.

7 하나만 둔각삼각형입니다.

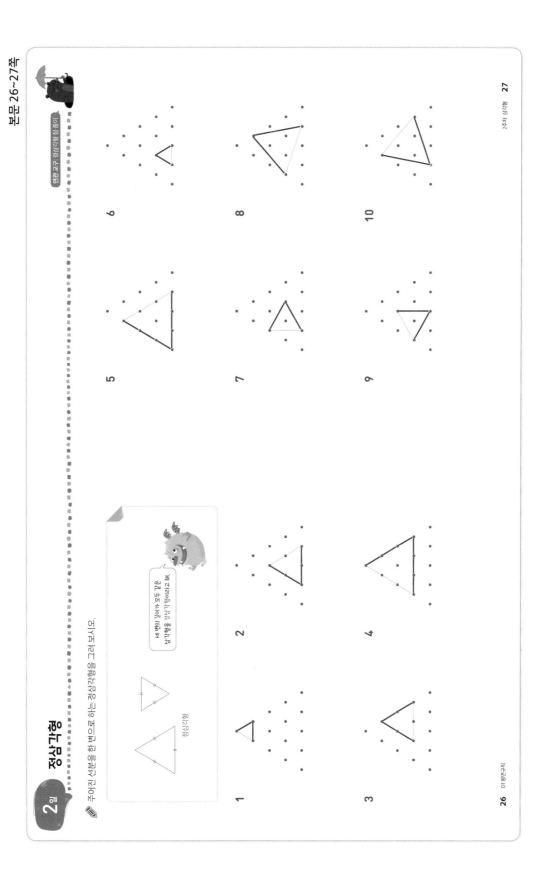

정답과 해설

3일 **정삼각형 세기**

크고 작은 정삼각형의 수를 모두 세어 □ 안에 써넣으시오.

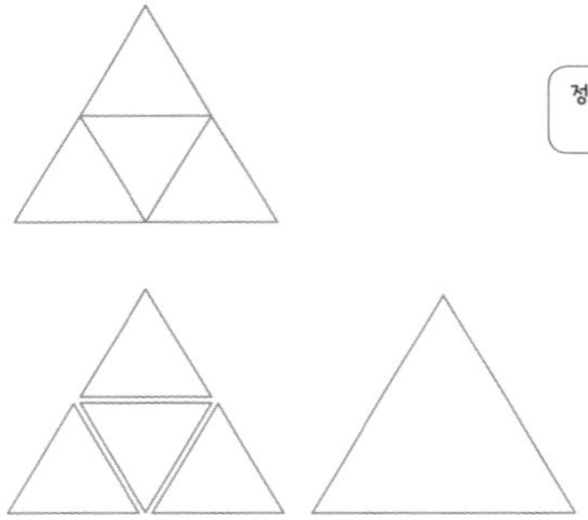

4개 1개 ➡ 4+1=5(개)

1

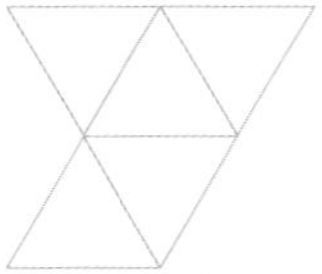

6

△ 5개 △ 1개

2

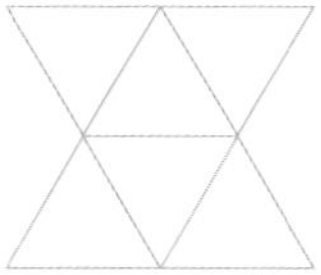

8

△ 6개 △ 2개

3

6

△ 4개 △ 2개

4

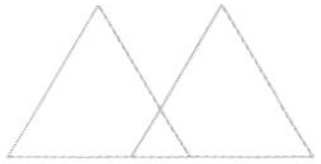

3

△ 1개 △ 2개

5

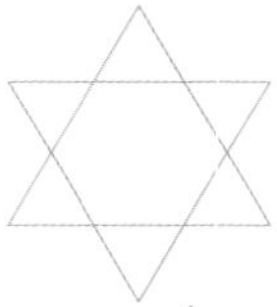

8

△ 6개 △ 2개

6

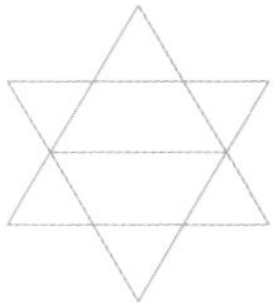

10

△ 6개 △ 2개 △ 2개

7

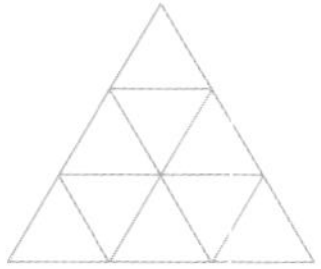

13

△ 9개 △ 3개 △ 1개

8

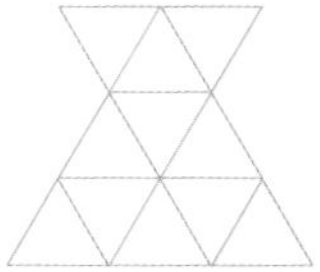

16

△ 11개 △ 4개 △ 1개

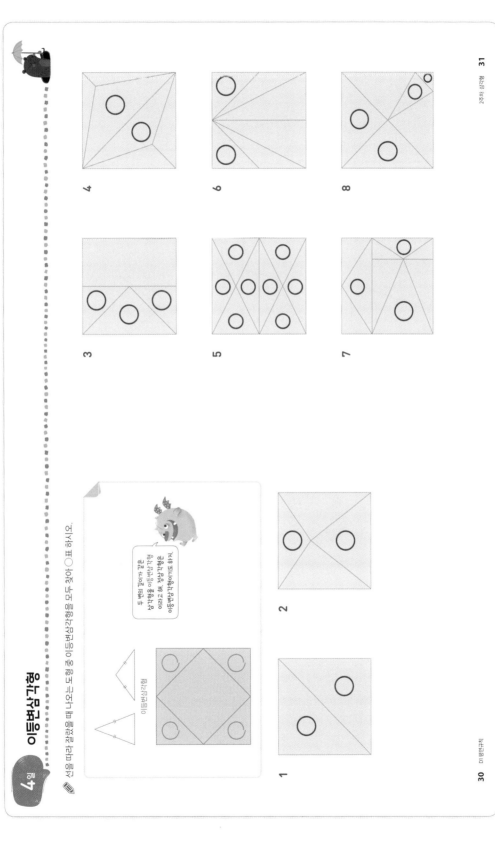

4회 이등변삼각형

선을 따라 잘랐을 때 나오는 도형 중 이등변삼각형을 모두 찾아 ○표 하시오.

이등변삼각형

두 변의 길이가 같은 삼각형을 이등변삼각형이라고 해. 정사각형을 지나가며 모두 이등변삼각형이 되지.

5일 이등변삼각형 그리기

✏️ 원 위에 같은 간격으로 점이 찍혀 있습니다. 주어진 선분을 한 변으로 하는 이등변삼각형을 모두 그려 보시오.

두 변의 길이가 같은 삼각형을 이등변삼각형이라고 해요. 나머지 두 점 사이에 이등변삼각형이 되는 선분을 찾아봐요.

1

2

그림이 순서는 바뀌어도 됩니다.

3

4

5

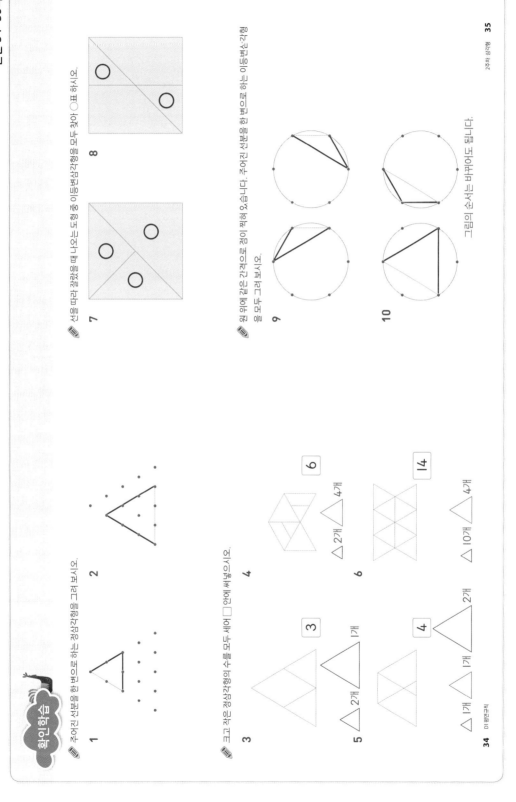

수학인척

1 주어진 선분을 한 변으로 하는 정삼각형을 그려 보시오.

2

3 크고 작은 정삼각형의 수를 모두 세어 □ 안에 써넣으시오.

3   △ 2개

5   △ 2개

4   △ 1개

6   △ 2개   4개

4   △ 1개   1개   2개

14   △ 10개   4개

7 선을 따라 잘랐을 때 나오는 도형 중 이등변삼각형을 모두 찾아 ○표 하시오.

8

9 원 위에 같은 간격으로 점이 찍혀 있습니다. 주어진 선분을 한 변으로 하는 이등변삼각형을 모두 그려 보시오.

10 그림의 순서는 바뀌어도 됩니다.

수선 긋기

점 ㄱ을 지나고 주어진 선분과 수직인 직선을 그어 보시오.

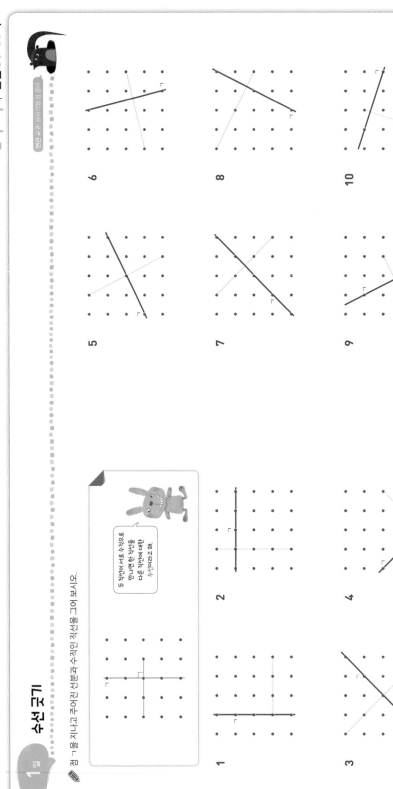

두 직선이 서로 수직으로 만나면 한 직선을 다른 직선에 대한 수선이라고 해.

점 ㄱ을 지나면서 주어진 선분과 닿는다면 답안 밖의 제시 선의 일부분만 이어 그어도 정답입니다.

2일 평행선 긋기

연필 들고 해결하기

✏️ 점 ㄱ을 지나고 주어진 선분과 평행한 직선을 그어 보시오.

서로 만나지 않는 두 직선을 평행하다고 하고, 평행한 두 직선을 평행선이라고 해.

점 ㄱ을 지나다면 답안 제시 직선으로 판단하여 정답으로 인정합니다.

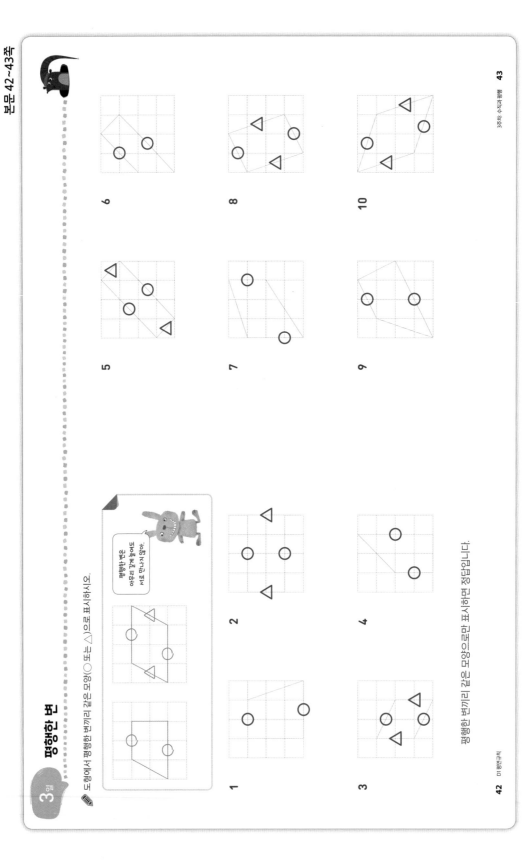

3일

평행한 변

✏️ 도형에서 평행한 변끼리 같은 모양(○ 또는 △)으로 표시하시오.

평행한 변은
아무리 길게 늘여도
서로 만나지 않아.

1

2

3

4

5

6

7

8

9

10

평행한 변끼리 같은 모양으로만 표시하면 정답입니다.

4일 사다리꼴

✎ 사다리꼴을 모두 찾아 ○표 하시오.

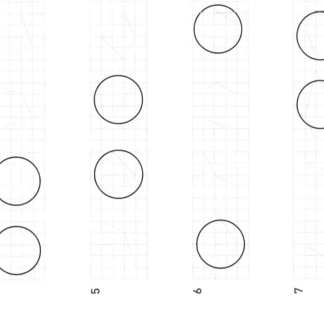

마주 보는 한 쌍의 변이 평행한 사다리꼴 이라고 해. 평행한 변이 있는 사다리꼴이야.

평행 평행

평행 평행

사다리꼴

1

2

3

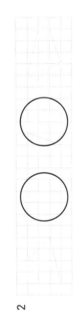
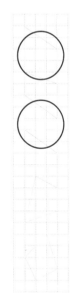

4

5

6

7

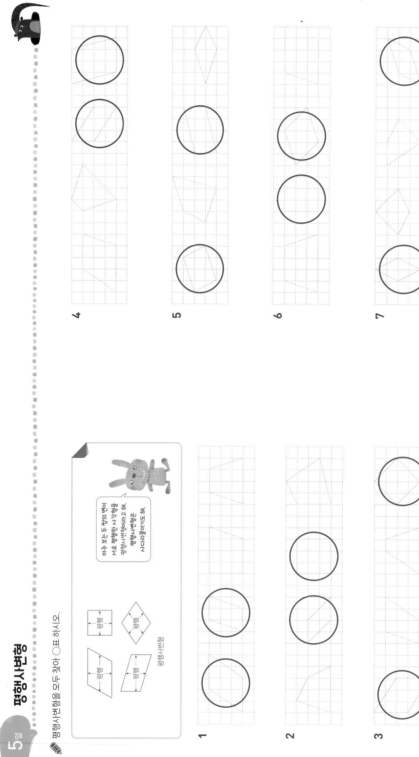

5일

평행사변형

평행사변형을 모두 찾아 ○표 하시오.

마주 보는 두 쌍의 변이 서로 평행한 사각형을 평행사변형이라고 해. 평행사변형은 사다리꼴이기도 해.

확인학습

✎ 점 ㄱ을 지나고 주어진 선분과 수직인 직선을 그어 보시오.

1

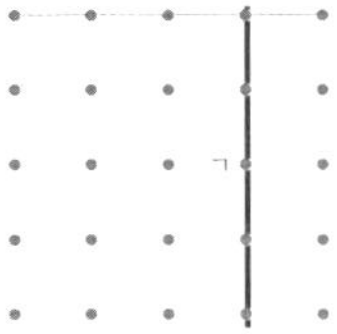

2

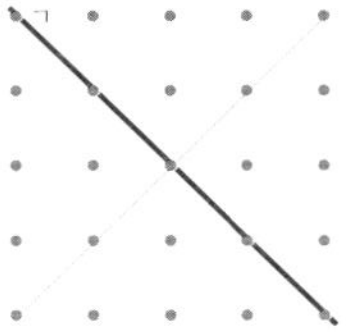

✎ 점 ㄱ을 지나고 주어진 선분과 평행한 직선을 그어 보시오.

3

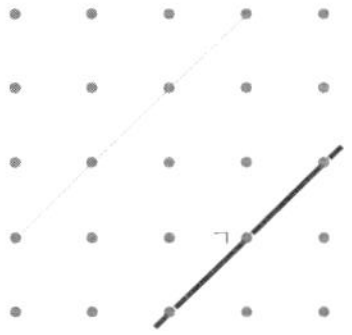

4

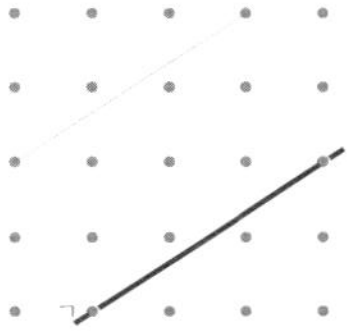

5

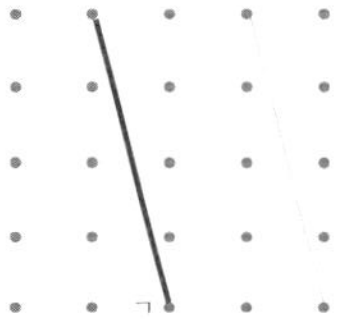

6

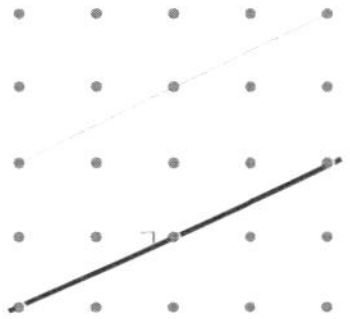

✎ 사다리꼴을 모두 찾아 ○표 하시오.

7

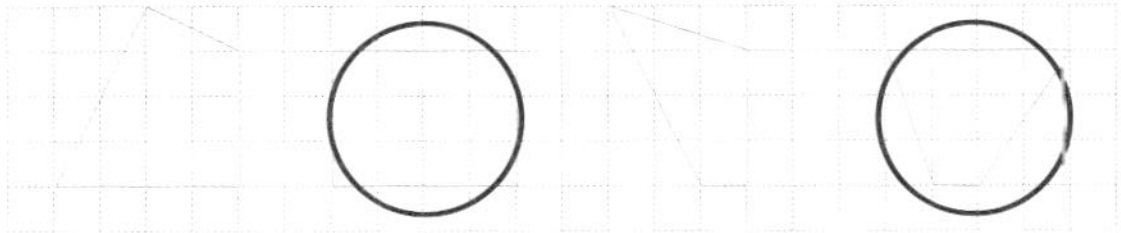

✎ 주어진 두 선분을 두 변으로 하는 평행사변형을 그려 보시오.

8

9

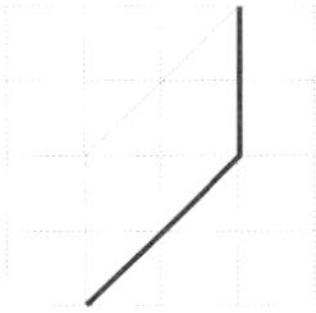

10

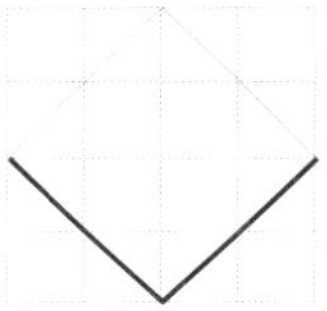

11

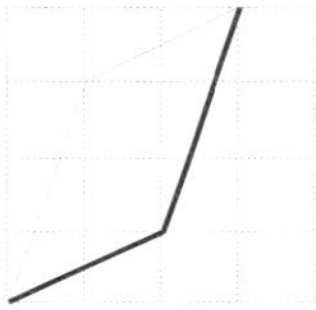

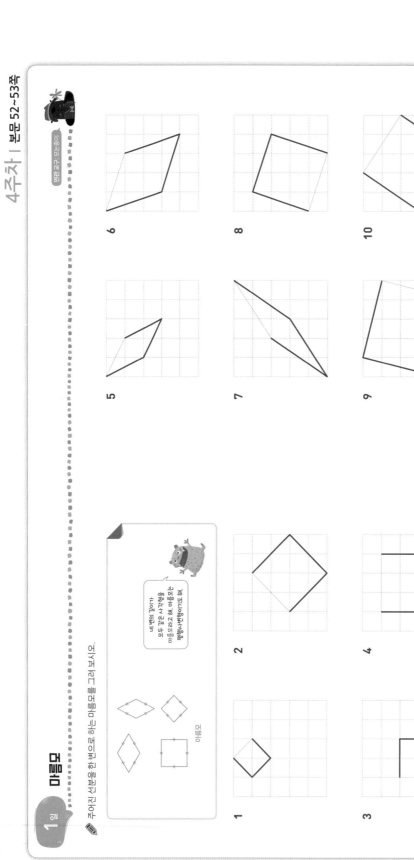

2일 사각형 이름 찾기

✏️ 주어진 사각형에 해당하는 이름을 모두 찾아 ○표 하시오.

사다리꼴
평행사변형
마름모
직사각형
정사각형

직사각형은
평행사변형이기도 하고,
사다리꼴이기도 해.

1
사다리꼴
평행사변형
마름모
직사각형
정사각형

2
사다리꼴
평행사변형
마름모
직사각형
정사각형

3
사다리꼴
평행사변형
마름모
직사각형
정사각형

4
사다리꼴
평행사변형
마름모
직사각형
정사각형

5
사다리꼴
평행사변형
마름모
직사각형
정사각형

6
사다리꼴
평행사변형
마름모
직사각형
정사각형

7
사다리꼴
평행사변형
마름모
직사각형
정사각형

8
사다리꼴
평행사변형
마름모
직사각형
정사각형

9
사다리꼴
평행사변형
마름모
직사각형
정사각형

10
사다리꼴
평행사변형
마름모
직사각형
정사각형

3일 사각형의 관계

✏️ 옳은 것은 ○표, 틀린 것은 ✕표 하시오.

사각형은 평행사변형입니다. ──── (○)

☐ 은 평행사변형입니다.

평행사변형은 직사각형입니다. ──── (✕)

⬭ 은 직사각형입니다.

1 평행사변형은 사다리꼴입니다. ──── (○)

2 정사각형은 평행사변형입니다. ──── (○)

3 직사각형은 네 변의 길이가 모두 같습니다. ──── (✕)

4 사다리꼴은 정사각형입니다. ──── (✕)

5 정사각형은 직사각형입니다. ──── (○)

도형을 그려 보면 쉽게 알 수 있어.

6 사다리꼴은 평행사변형입니다. ──── (✕)

7 직사각형은 마름모입니다. ──── (✕)

8 정사각형은 마름모입니다. ──── (○)

9 마름모는 사다리꼴입니다. ──── (○)

10 정사각형은 평행사변형입니다. ──── (○)

11 마름모는 정사각형입니다. ──── (✕)

12 마름모는 마주 보는 두 쌍의 변이 서로 평행합니다. ──── (○)

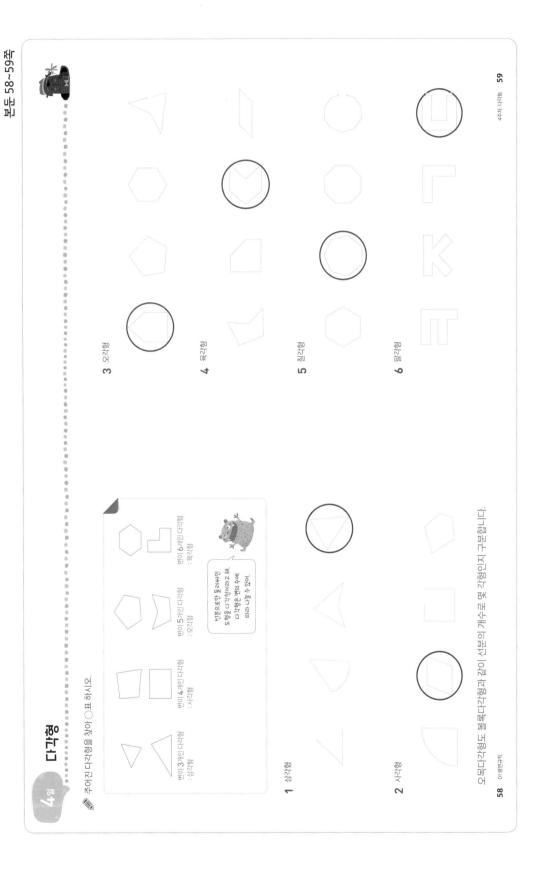

4일 다각형

✏️ 주어진 다각형을 찾아 ◯표 하시오.

변이 3개인 다각형
: 삼각형

변이 4개인 다각형
: 사각형

변이 5개인 다각형
: 오각형

변이 6개인 다각형
: 육각형

선분으로만 둘러싸인
도형을 다각형이라고 해.
다각형은 변의 수에
따라 나눌 수 있어.

1 삼각형

2 사각형

오목다각형도 볼록다각형과 같이 선분의 개수로 몇 각형인지 구분합니다.

3 오각형

4 육각형

5 칠각형

6 팔각형

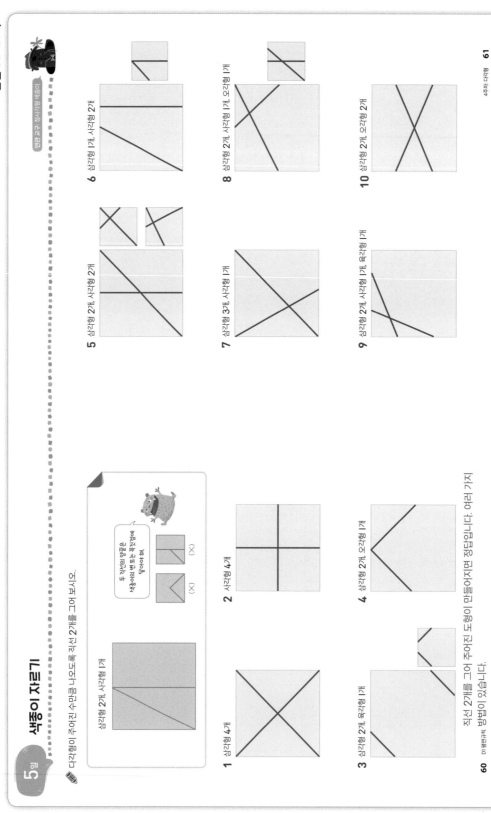

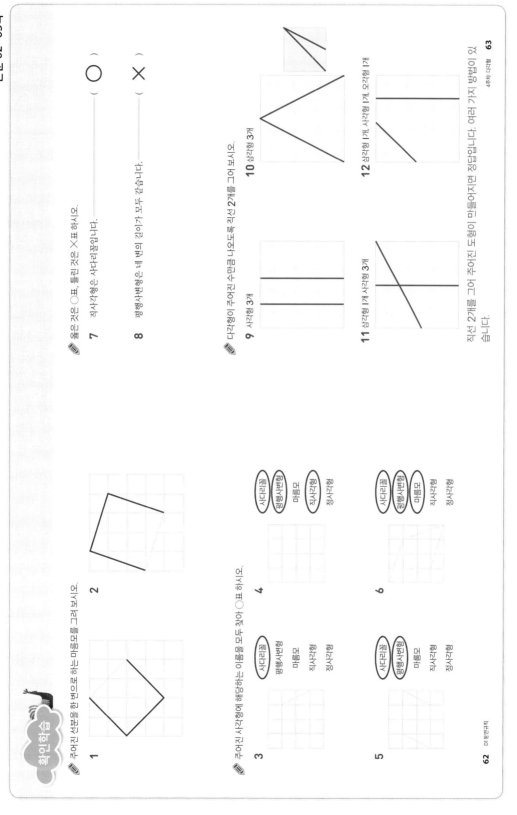

확인학습

주어진 선분을 한 변으로 하는 마름모를 그려 보시오.

1

2

주어진 사각형에 해당하는 이름을 모두 찾아 ○표 하시오.

3
(사다리꼴) 평행사변형 마름모 직사각형 정사각형

4
(사다리꼴) (평행사변형) 마름모 직사각형 정사각형

5
(사다리꼴) (평행사변형) 마름모 직사각형 정사각형

6
(사다리꼴) (평행사변형) (마름모) 직사각형 정사각형

옳은 것은 ○표, 틀린 것은 ✕표 하시오.

7 직사각형은 사다리꼴입니다. ── (○)

8 평행사변형은 네 변의 길이가 모두 같습니다. ── (✕)

다각형이 주어진 수만큼 나오도록 직선 2개를 그어 보시오.

9 사각형 3개

10 삼각형 3개

11 삼각형 1개 사각형 3개

12 삼각형 1개, 사각형 1개, 오각형 1개

직선 2개를 그어 주어진 도형이 만들어지면 정답입니다. 여러 가지 방법이 있습니다.

형성 평가 | 본문 66~67쪽

1회차 형성 평가

제한시간 10분 / 맞은 개수 / 11개

월 일

1 각도기를 이용하여 표시된 각도를 재어 □ 안에 써넣으시오.

85°

130°

2

◆ 주어진 선분을 한 변으로 하는 정삼각형을 그려 보시오.

3

4

5

6

◆ 점 ㄱ을 지나고 주어진 선분과 평행한 직선을 그어 보시오.

7

8

9

10

점 ㄱ을 지나다면 당연 제시 선들이의 각부분을 그어 ... 직선을 긋습니다.

◆ 육각형을 찾아 ○표 하시오.

11

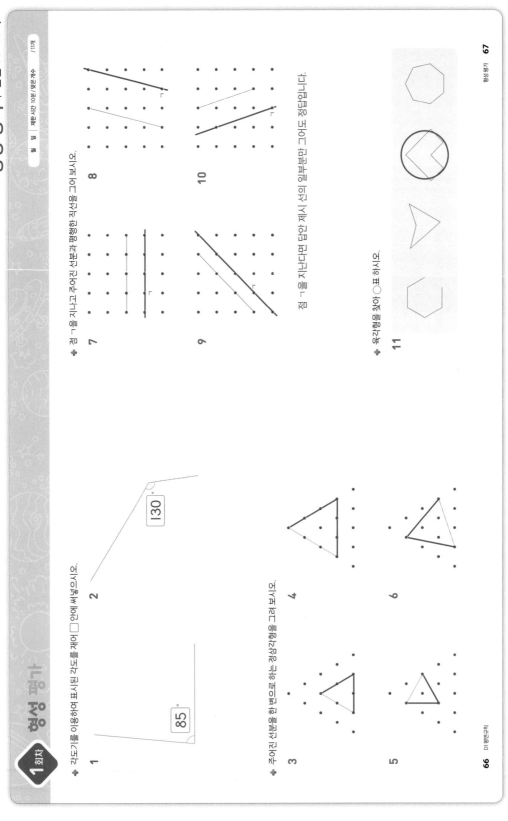

2회차 형성 평가 1회

♦ 각도기를 이용하여 도형에서 표시된 각도를 재어 ☐ 안에 써넣으시오.

1

☐ 60

☐ 100

☐ 90

☐ 110

♦ 크고 작은 정삼각형의 수를 모두 세어 ☐ 안에 써넣으시오.

2

△ 3개 △ 1개

4

3

△ 7개 △ 2개

9

♦ 점 ㄱ을 지나고 주어진 선분과 수직인 직선을 그어 보시오.

5

4

7

6

점 ㄱ을 지나면서 주어진 선분과 닿는다면 답안 제시 선의 일부분만 그어도 정답입니다.

♦ 다각형이 주어진 수만큼 나오도록 직선 2개를 그어 보시오.

8 삼각형 2개, 사각형 1개

9 삼각형 1개, 사각형 2개, 오각형 1개

직선 2개를 그어 주어진 도형이 만들어지면 됩니다. 여러 가지 방법이 있습니다.

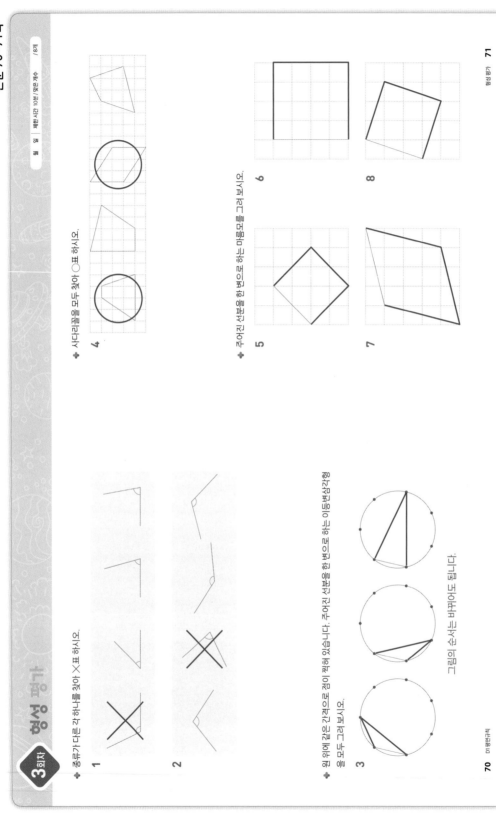

3회차

형성 평가

◆ 종류가 다른 각 하나를 찾아 ✕표 하시오.

1

2

◆ 원 위에 같은 간격으로 점이 찍혀 있습니다. 주어진 선분을 한 변으로 하는 이등변삼각형을 모두 그려 보시오.

3

그림이 겹치는 순서는 바뀌어도 됩니다.

70 D1 평면규칙

월 일 | 제한 시간 10분 / 맞은 개수 /8개

◆ 사다리꼴을 모두 찾아 ○표 하시오.

4

◆ 주어진 선분을 한 변으로 하는 마름모를 그려 보시오.

5

6

7

8

형성평가 71

4회차 형성 평가

날 월 일 | 제한 시간 10분 / 맞은 개수 /10개

1. 크고 작은 예각의 수를 모두 세어 □ 안에 써넣으시오.

2.

① 3개 ② 2개 ③ 1개 → 6개
① 3개 ② 2개 → 5개

◆ 종류가 다른 삼각형 하나를 찾아 ✕표 하시오.

3.

4.

◆ 도형에서 평행한 변끼리 같은 모양은 ○ 또는 △으로 표시하시오.

5. 6. 7. 8.

평행한 변끼리 같은 모양으로만 표시하면 됩니다.

◆ 주어진 사각형에 해당하는 이름을 모두 찾아 ○표 하시오.

9. 사다리꼴 평행사변형 마름모 직사각형 정사각형

10. 사다리꼴 평행사변형 마름모 직사각형 정사각형

정답 및 해설

5회차 형성평가

월 일 | 제한 시간 10분 | 맞은 개수 /11개

✦ 각각이 90°임을 이용하여 표시된 각의 크기를 구하시오.

1

180°

2

45°

45°

✦ 선을 따라 잘랐을 때 나오는 도형 중 이등변삼각형을 모두 찾아 ◯표 하시오.

3

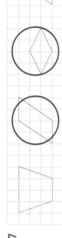

4

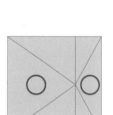

5

6

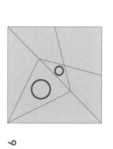

✦ 평행사변형을 모두 찾아 ◯표 하시오.

7

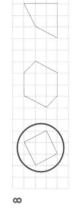

8

✦ 옳은 것은 ◯표, 틀린 것은 ✕표 하시오.

9 정사각형은 직사각형입니다. (◯)

10 평행사변형은 마름모입니다. (✕)

11 직사각형은 사다리꼴입니다. (◯)

74 D1 평면규칙

형성 평가 75

Memo

Memo

"Let no one untrained in geometry enter.

"기하학을 모르는 자, 이 문을 들어오지 말라."